Módulo
8

Misiones Urbanas

Evangelización y Guerra Espiritual

Guerra Espiritual:

ATANDO AL HOMBRE FUERTE

. . . .

Evangelización:

EL CONTENIDO DE LAS BUENAS NUEVAS DEL REINO

. . . .

Evangelización:

MÉTODOS PARA ALCANZAR A LA COMUNIDAD URBANA

. . . .

Seguimiento e Incorporación

Capstone Módulo 8: Evangelización y Guerra Espiritual Libro de notas del estudiante

ISBN: 978-1-62932-108-0

Índice

Acerca del autor de la materia

El Rev. Dr. Don L. Davis es el Director Ejecutivo de The Urban Ministry Institute [El Instituto Ministerial Urbano y vicepresidente de *World Impact*. Asistió a la Universidad de Wheaton y la Escuela de Graduados de *Wheaton*, y se graduó con el grado summa cum laude tanto en su B. A. (1988) como en su M. A. (1989), en estudios bíblicos y teología sistemática, respectivamente. Obtuvo su Ph.D. en religión (Teología y Ética) de la Escuela de religión de la Universidad de Iowa.

Como Director Ejecutivo del Instituto y Vicepresidente Senior de *World Impact*, supervisa la formación de los misioneros urbanos, plantadores de iglesias y pastores de la ciudad, y facilita las posibilidades de formación para los obreros urbanos cristianos en la evangelización, igle-crecimiento, y misiones pioneras. También dirige los programas extensivos de aprendizaje a distancia del Instituto y facilita los esfuerzos de desarrollo de liderazgo para las organizaciones y denominaciones como la Confraternidad Carcelaria, la Iglesia Evangélica Libre de América, y la Iglesia de Dios en Cristo.

Ha sido un recipiente de numerosos premios académicos y de enseñanza, el Dr. Davis ha servido como profesor y docente en varias instituciones académicas finas, habiendo impartido conferencias y cursos de religión, teología, filosofía y estudios bíblicos en escuelas, como *Wheaton College*, Universidad de *St. Ambrose*, la Escuela Superior de Teología de *Houston*, la Universidad de Iowa de la religión, el Instituto Robert E. Webber de Estudios de adoración. Es autor de varios libros, programas de estudio y materiales de estudio para equipar a los líderes urbanos, entre ellos el currículo *Piedra Angular*, que consiste en dieciséis módulos de educación a distancia a nivel de seminario de TUMI, *Raíces Sagradas: Una cartilla para recuperar la Gran Tradición*, que se centra en cómo las iglesias urbanas pueden renovarse a través de un redescubrimiento de la fe ortodoxa histórica, y *Negro y humano: Redescubriendo al rey como recurso para la teología y ética negra*. El Dr. Davis ha participado en cátedras académicas, tales como el ciclo de conferencias *Staley*, conferencias de renovación como las manifestaciones *Promise Keepers*, y consorcios teológicos como la Serie de proyectos teológicos vívidos de la Universidad de Virginia. Recibió el Premio Distinguido *Alumni Fellow* de la Universidad de Iowa Colegio de Artes Liberales y Ciencias en el 2009. El Dr. Davis es también un miembro de la Sociedad de Literatura Bíblica, y la Academia Americana de Religión.

Acerca de la adaptación y traducción de la materia

Se intentará usar un lenguaje muy genérico. Cuando se empezó la adaptación al español de este currículo, se inició reconociendo la realidad de que el castellano tiene grandes variaciones aun dentro de un mismo país. Si bien es cierto que hay un consenso referente a nuestras reglas gramaticales, el tal no existe cuando se trata del significado o el tiempo de las palabras de uso común (por ejemplo, dependiendo de la región de un país, la palabra "ahora" pudiera significar tiempo pasado, presente o futuro). Aquellos que han tenido el privilegio de misionar transculturalmente, han experimentado claramente las pequeñas o enormes variaciones de este precioso idioma. Por esta razón, el estilo de adaptación y traducción que se emplea considera que, aunque se hable el mismo idioma, hay diferencias lingüísticas que deben ser reconocidas al adaptar el contenido de esta materia. Se ha hecho el intento, en este material, de usar un lenguaje propio, sencillo y claro; evitando comprometer los principios lingüísticos que los unen.

Se pretende usar reglas de puntuación que beneficien al estudiante. Por otro lado, por el hecho de que el contenido de este curso está dirigido a hombres y mujeres bivocacionales, comprometidos con el reino de Dios, multiplicando iglesias en las zonas urbanas de la ciudad, que ya están marchando o han arribado a un ministerio de tiempo completo, se usarán reglas gramaticales de puntuación que agilicen la captación del contenido de una forma más efectiva.

Se procurará ampliar el vocabulario del estudiante. Ahora bien, con el fin de ampliar éste y enriquecer su lenguaje teológico, aun cuando suponemos que el estudiante no está familiarizado con tal vocabulario, se hacen redundancias para comunicar sus variaciones y hacer mejor sentido del mismo (algunas veces se anexa una nota al lado de la página para mayor claridad).

Acerca de la Biblia que usamos

Dado que el fin de este curso es el estudio teológico de la Palabra de Dios, se ha optado por utilizar traducciones de la Biblia que son esencialmente literales como la Reina Valera 1960 y la Biblia de las Américas, siendo éstas ampliamente aceptadas como Biblias de púlpito por la Iglesia. Se evita usar traducciones de equivalencia dinámica tal como la Nueva Versión Internacional, o paráfrasis bíblicas como Dios Habla Hoy, a menos que el énfasis sea interpretativo y/o se indique previamente.

En nombre de los autores, profesores, traductores, editores y publicadores, le presentamos este material con todo el voto de confianza que se merece. ¡Que su Palabra nunca regrese vacía!

~ Enrique Santis, traductor y presentador de Piedra Angular quien sirvió como director en el Ministerio Hispano de World Impact, Inc. por varios años.

Introducción al módulo

¡Bienvenidos en el poderoso nombre de Cristo Jesús!

La evangelización es la proclamación y demostración de que Dios ha visitado el mundo a través de la persona de Jesús de Nazaret, y que esta visita tiene el propósito de liberar al mundo del poder del diablo y de los efectos del pecado. Evangelizar significa profetizar la salvación en Jesús el Mesías.

Las lecciones de este módulo están planificadas para proveerle de una sólida descripción de los problemas más importantes del estudio bíblico acerca de la evangelización y la guerra espiritual. La primera lección, *Guerra Espiritual: Atando al Hombre Fuerte*, presenta la guerra del universo causada por la desobediencia del diablo y la raza humana. La perfecta creación de Dios fue objeto de los poderes demoníacos y de la muerte, y a causa de este hecho, la raza humana se encuentra esclavizada por el egoísmo, la enfermedad, la alienación y la muerte. A través de la vida, muerte y resurrección de Jesucristo, los creyentes son rescatados mediante el poder del Espíritu Santo del dominio de Satanás, así como de los efectos de la maldición. La evangelización es la proclamación mundial del rescate de Dios a través de Jesucristo, en el poder del Espíritu Santo.

La lección 2 se titula *Evangelización: El Contenido de las Buenas Nuevas del Reino*. La evangelización proclama y demuestra la salvación de Dios no sólo a través de la palabra, sino por el amor y servicio brindado a otros. Este ministerio se enfoca en Cristo. La evangelización es precisamente hablar acerca de la persona y obra de Jesucristo. El Credo Niceno ofrece un claro, útil y poderoso bosquejo de las verdades más importantes asociadas con la encarnación, pasión, resurrección, ascensión y Segunda Venida de Jesucristo. Si estudiamos seriamente estas verdades, podremos comunicarlas con facilidad en nuestro vecindario.

Nuestra siguiente lección, *Evangelización: Métodos para Alcanzar a la Comunidad Urbana*, revela cómo la evangelización no se trata únicamente de lo que se expresa a través de las palabras, sino también quiénes somos y qué hacemos. Para poder hablar persuasivamente del Señor en nuestras comunidades, nuestra fe debe estar arraigada a un carácter sólido y una genuina espiritualidad. Analizaremos los distintos métodos de comunicación útiles para compartir las Buenas Nuevas, y la importancia de estar preparados para una efectiva evangelización urbana, a través de la oración intercesora. Estudiaremos la importancia del testimonio, junto con la evangelización realizada a través de las predicaciones y los discursos públicos. También consideraremos el concepto de red de hogares, o el *oikos,* en la evangelización urbana.

Finalmente en la lección 4, *Seguimiento e Incorporación,* veremos cómo podemos conservar el fruto de nuestra evangelización a través del seguimiento a los nuevos creyentes, es decir, el acto de "incorporar nuevos convertidos a la familia de Dios con el propósito de que los mismos sean equipados con lo necesario para crecer en Cristo y utilizar sus dones para el ministerio". Observaremos cómo los apóstoles nutrieron a los nuevos creyentes, y estudiaremos la manera de utilizar los mismos pasos para traer nuevos convertidos a la asamblea local de creyentes, conduciéndolos hacia la madurez y productividad espiritual.

Es el deseo de nuestro Señor Jesús que llevemos mucho fruto para la gloria y alabanza de Dios (Juan 15.8-16). ¡Que el Señor bendiga su esfuerzo en el estudio de Su Palabra, para que pueda reunirse junto a los obreros de la cosecha y obtener el fruto de la salvación del Señor, para la gloria del Padre!

- Rev. Dr. Don L. Davis

Requisitos del curso

Libros requeridos y otros materiales

- Biblia y concordancia (es preferible para este curso la versión Reina Valera 1960 o La Biblia de las Américas. Sienta la libertad de utilizar traducciones *dinámicas* como por ejemplo la Nueva Versión Internacional, pero evite las paráfrasis, tales como Dios Habla Hoy, La Biblia al Día, La Versión Popular, etc.).

- Cada módulo de Piedra Angular ha asignado libros de texto, los cuales son leídos y discutidos a lo largo del curso. Le animamos a leer, reflexionar e interactuar con ellos con sus profesores, mentores y compañeros de aprendizaje. De acuerdo a la disponibilidad de los libros de texto (ej. libros fuera de impresión), mantenemos nuestra lista oficial de libros de texto requeridos por Piedra Angular. Por favor visite www.tumi.org/libros para obtener una lista actualizada de los libros de texto de este módulo.

- Papel y pluma para sus notas personales y completar las asignaturas en clase.

Porcentajes de la calificación y puntos

Requisitos del curso

Asistencia y participación en la clase . . . .   30%   90 pts

Pruebas . . . .   10%   30 pts

Versículos para memorizar . . . .   15%   45 pts

Proyecto exegético . . . .   15%   45 pts

Proyecto ministerial . . . .   10%   30 pts

Asignaturas de lectura y tareas . . . .   10%   30 pts

Examen Final . . . .   <u>10%</u>   <u>30 pts</u>

Total: 100%   300 pts

Requisitos del curso

La asistencia a clase es un requisito del curso. Las ausencias afectarán su nota final. Si no puede evitar ausentarse, por favor hágalo saber anticipadamente a su mentor. Si no asiste a clase, será su responsabilidad averiguar cuáles fueron las tareas de ese día. Hable con su mentor acerca de entregar el trabajo en forma tardía. Gran parte del aprendizaje de este curso es llevado a cabo por medio de las discusiones en grupo; por lo tanto, es necesario que se involucre en las mismas.

Cada clase comenzará con una pequeña prueba que recordará las ideas básicas de la última lección. La mejor manera de prepararse para la misma es revisar el material de su Libro de Notas y Tareas del Estudiante y las notas extraídas en la última lección.

Memorizar la Palabra de Dios es, como creyente y líder en la Iglesia de Jesucristo, una prioridad central para su vida y ministerio. Deberá memorizar relativamente pocos versículos; no obstante, los mismos son significativos en su contenido. Será responsable en cada clase de recitar (verbalmente o escribiéndolo de memoria) el versículo asignado por su mentor.

Las Escrituras son el instrumento de Dios para equipar a los creyentes con el objeto de que puedan enfrentar la obra ministerial a la cual Él los ha llamado (2 Ti.3.16-17). Para completar los requisitos de este curso, deberá hacer por escrito un estudio inductivo del pasaje mencionado en la página 10, es decir, un estudio exegético. Este estudio tendrá que ser de cinco páginas de contenido (a doble espacio, mecanografiado, en computadora o

Asistencia y participación en la clase

Pruebas

Versículos para memorizar

Proyecto exegético

escrito a mano en forma clara) y tratar con uno de los aspectos del Reino de Dios que fueron subrayados en este curso. Nuestro deseo y esperanza es que se convenza profundamente del poder de la Escritura, en lo que respecta a cambiar y afectar su vida en forma práctica, al igual que la vida de aquellos a quienes ministra. Su mentor le detallará el proyecto en la clase de introducción al curso.

Proyecto ministerial

Nuestra expectativa es que todos los estudiantes apliquen lo aprendido en sus vidas y en sus áreas ministeriales. Éstos tendrán la responsabilidad de desarrollar un proyecto ministerial que combine los principios aprendidos con una aplicación práctica en sus ministerios. Discutiremos los detalles de este proyecto en la clase de introducción.

Asignaturas de clase y tareas

Su mentor y maestro le dará varias tareas para hacer en clase o en su casa, o simplemente deberá cumplir con las tareas del Libro de Notas y Tareas del Estudiante. Si tiene alguna pregunta sobre los requisitos o las fechas de entrega, por favor pregunte a su mentor.

Lecturas

Es importante que cumpla con las lecturas asignadas del texto y pasajes de la Escritura, a fin de que esté preparado para discutir con facilidad el tema en clase. Por favor, entregue semanalmente el "Reporte de lectura" del Libro de Notas y Tareas del Estudiante. Tendrá la opción de recibir más puntaje por la lectura de materiales extras.

Examen Final para hacer en casa

Al final del curso, su mentor le dará el Examen Final el cual podrá hacer en casa. Allí encontrará preguntas que le harán reflexionar sobre lo aprendido en este curso, y cómo estas enseñanzas afectan su manera de pensar, o cómo practicar estas cosas en sus ministerios. Su mentor facilitará las fechas de entrega y le dará información extra cuando el Examen Final haya sido entregado.

Calificación

Las calificaciones finales se evaluarán de la siguiente manera, siendo guardadas cada una de ellas en los archivos de cada estudiante:

A - Trabajo sobresaliente	D - Trabajo común y corriente
B - Trabajo excelente	F - Trabajo insatisfactorio
C - Trabajo satisfactorio	I - Incompleto

Las calificaciones con las letras (A, B, C, D, F, I) se otorgarán al final, con los complementos o deducciones correspondientes; y el promedio alcanzado será tomado en cuenta para determinar su calificación final, la cual se irá acumulando. Las tareas atrasadas o no entregadas afectarán su nota final. Por lo tanto, sea solícito y comunique cualquier conflicto a su instructor.

Proyecto exegético

Como parte central del estudio del módulo *Evangelización y Guerra Espiritual*, de los cursos Piedra Angular, se requiere su elaboración de una *exégesis* (estudio inductivo) de un pasaje bíblico, basado en una de las siguientes porciones de la Palabra de Dios:

- ❒ 1 Corintios 15.1-8
- ❒ Isaías 53.3-9
- ❒ Mateo 28.18-20
- ❒ Santiago 2.14-17
- ❒ Romanos 10.8-13
- ❒ Filipenses 2.19-24
- ❒ Lucas 11.14-23

El propósito de este proyecto es brindarle la oportunidad de realizar un estudio detallado de un pasaje bíblico sobre la evangelización y el poder de Jesús de liberar de Satanás y del pecado y de los efectos de este último. A medida que estudia el texto elegido (o un texto que no esté en la lista pero que usted y su mentor estén de acuerdo), deseamos que pueda mostrar cómo el mismo deja en claro algunos principios fundamentales referentes a la evangelización, el evangelio y compartir las Buenas Nuevas con otros. También deseamos que relacione su significado directamente con su propio caminar como discípulo, así como con el rol de liderazgo que Dios le ha dado en la actualidad en su iglesia y ministerio.

Este es un proyecto de estudio bíblico, así que, a fin de hacer *exégesis*, debe comprometerse a entender el significado del pasaje en su propio contexto, es decir, el ambiente y situaciones donde fue escrito, o las razones que originaron que se escribiera originalmente. Una vez que entienda lo que significa, puede extraer principios que se apliquen a todos y luego relacionar o conectar esos principios a nuestra vida. El siguiente proceso de tres pasos puede guiar su estudio personal del pasaje bíblico:

1. ¿Qué le estaba diciendo *Dios a la gente en la situación del texto original?*

2. ¿Qué principio(s) verdadero(s) *nos enseña el texto a toda la gente en todo lugar,* incluyendo a la gente de hoy día?

3. ¿Qué *me está pidiendo el Espíritu Santo que haga con este principio aquí mismo, hoy día,* en mi vida y ministerio?

Una vez que haya dado respuesta a estas preguntas en su estudio personal, estará preparado para escribir los hallazgos de su incursión reflectiva en su *proyecto exegético*.

El siguiente es un *ejemplo del bosquejo* para escribir su proyecto:

1. Haga una lista de lo que cree que es *el tema o idea central* del texto elegido.

2. *Resuma el significado* del pasaje completo (puede hacerlo en dos o tres párrafos), o si prefiere, escriba un comentario de cada versículo elegido.

3. *Bosqueje de uno a tres principios* que el texto provea de la naturaleza, significado y/o sobre el tema de la evangelización y guerra espiritual.

4. Comente cómo uno, algunos, o todos los principios, pueden relacionarse con *una o más* de las siguientes áreas:

   a. Su propia espiritualidad y caminar con Cristo

   b. Su vida y ministerio en la iglesia local

   c. Situaciones y desafíos en su comunidad y la sociedad en general

Como recursos, por favor siéntase en libertad de leer los textos del curso y/o comentarios, e integre esas ideas o principios a su proyecto. Por supuesto, asegúrese de dar crédito a quien merece crédito, si toma prestado o construye sobre las ideas de alguien más. Puede usar referencias en el mismo texto, notas al pie de página o notas en la última página de su proyecto. Será aceptada cualquier forma que escoja para citar sus referencias, siempre y cuando 1) use sólo una forma consistente en todo su proyecto, 2) indique dónde está usando las ideas de alguien más y le dé crédito por ellas. Para más información, vea *Documentando su Tarea: una regla para ayudarle a dar crédito a quien merece crédito* en el Apéndice.

Asegúrese que su proyecto exegético cumpla las siguientes normas al ser entregado:

- Que se escriba legiblemente, ya sea a mano, a máquina o en computadora

- Que sea el estudio de uno de los pasajes bíblicos mencionados anteriormente

- Que se entregue a tiempo y no después de la fecha y hora estipulada

- Que sea de 5 páginas de texto

- Que cumpla con el criterio del ejemplo del bosquejo dado antes, claramente formulado para la comprensión de quien lo lea

- Que muestre cómo el pasaje se relaciona a la vida y ministerio de hoy

No deje que estas instrucciones le intimiden. ¡Este es un proyecto de estudio bíblico! Todo lo que necesita demostrar en este proyecto es que *estudió* el pasaje, *resumió* su significado, *extrajo* algunos principios del mismo y lo *relacionó* o *conectó* a su propia vida y ministerio.

Calificación   El proyecto exegético equivale a 45 puntos y representa el 15% de su calificación final; por lo tanto, asegúrese que su proyecto sea un excelente e informativo estudio de la Palabra.

Proyecto ministerial

La Palabra de Dios es viva y eficaz, y penetra y discierne los pensamientos y las intenciones del corazón (Heb. 4.12). Santiago, el apóstol, enfatiza la necesidad de ser hacedores de la Palabra de Dios, y no oidores solamente, engañándonos a nosotros mismos. Somos exhortados a aplicar la Palabra y obedecerla. Omitir esta disciplina, sugiere Santiago, es similar a una persona que mira su propia cara en un espejo; luego se va y se olvida de lo que es (su crecimiento y sus fallas), y lo que debe ser (la expectativa de ser como Cristo). En cada caso, el hacedor de la Palabra de Dios será bendecido por medio de lo que hace con la misma (Stg. 1.22-25).

Nuestro deseo sincero es que aplique lo aprendido de manera práctica, correlacionando su aprendizaje con experiencias reales y necesidades en su vida personal, conectándolo a su ministerio en y por medio de la iglesia. Por esta razón, una parte vital de completar este módulo es desarrollar un proyecto ministerial que le ayude a compartir con otros las ideas y principios que aprendió en este curso.

Hay muchas formas por medio de las cuales puede cumplir este requisito de su estudio. Puede escoger dirigir un estudio breve de sus ideas con un líder de su iglesia, escuela dominical, jóvenes o grupo de adultos o de estudio bíblico, o en una oportunidad ministerial. Lo que tiene que hacer es discutir algunas de las ideas que aprenda en clase con un grupo de hermanos (por supuesto, puede usar las ideas de su proyecto exegético).

Debe ser flexible en su proyecto; sea creativo y no ponga límites. Al principio del curso, comparta con su instructor acerca del contexto (circunstancias: grupo, edades, cuánto tiempo, día y hora) donde va a compartir sus ideas. Y antes de compartir con su grupo, haga un plan y evite apresurarse en seleccionar e iniciar su proyecto.

Después de efectuar su plan, escriba y entregue a su mentor un resumen de una página, o una evaluación del tiempo cuando compartió sus ideas con el grupo. El siguiente es un ejemplo del bosquejo de su resumen o evaluación:

1. Su nombre

2. El lugar y el nombre del grupo con quien compartió

3. Un resumen breve de la reunión, cómo se sintió y cómo respondieron sus oyentes

4. Lo que aprendió

El proyecto ministerial equivale a 30 puntos, es decir, el 10% de la calificación total; por lo tanto, procure compartir el resumen de sus descubrimientos con confianza y claridad.

Propósito

Planificación y resumen

Calificación

Guerra Espiritual
Atando al Hombre Fuerte

Objetivos de la lección

¡Bienvenido en el poderoso nombre de Jesucristo! Después de leer, estudiar y discutir los materiales de esta lección usted podrá:

- Describir cuidadosamente las verdades de la rebelión voluntaria, la desobediencia del diablo y de la primera pareja, además de cómo el universo, resultado de esta desobediencia, ha sido llamado a una guerra espiritual.

- Mostrar a través de las Escrituras que aun cuando Dios creó un mundo perfecto, la caída del hombre liberó los poderes demoníacos en este mundo, la creación quedó atada a la corrupción y a la muerte, estando ahora la raza humana esclavizada y sujeta a enfermedades, muerte, alienación, además de conductas egoístas.

- Demostrar por la Biblia que en su esencia, la salvación de Dios consiste en liberar a la raza humana y a toda la creación de los poderes y efectos del pecado, del dominio de Satanás y de la tiranía del temor y la muerte, a través del poder del Espíritu Santo, a causa de los efectos del pecado y de los frutos de la maldición por las conductas pecaminosas.

- Comunicar claramente que evangelizar significa proclamar al mundo entero las promesas y las profecías de Dios sobre la liberación a través de Jesucristo, haciéndolo en el poder del Espíritu Santo.

Devocional

Se hizo como nosotros para liberarnos.

Heb. 2.14-15 Así que, por cuanto los hijos participaron de carne y sangre, él también participó de lo mismo, para destruir por medio de la muerte al que tenía el imperio de la muerte, esto es, al diablo, [15] y librar a todos los que por el temor de la muerte estaban durante toda la vida sujetos a servidumbre.

Quizás no haya pensamiento en las Escrituras que se pueda comparar con la inusual humildad de nuestro Señor Jesús, en su anhelo de hacerse como nosotros, con el propósito de liberarnos. Este estudio nos sugiere que el Señor Jesús, en su gran humillación y obediencia al Padre, se encarnó, compartió nuestra propia esencia, es decir, nuestra carne y sangre, para que a través de la muerte, venciera a aquel que tenía el poder de la muerte sobre la humanidad, el diablo. Nunca conoceremos con profundidad la humildad y el desprendimiento que implicó este supremo acto de bondad y gracia hacia nosotros. A causa de la esclavitud que tenemos, la cual cargamos debido a nuestra propio pecado, nuestro Señor decidió hacerse como nosotros, compartiendo nuestras debilidades, para hacerse partícipe de nuestras obras, y así derrotar el poder de la muerte que nos esclavizaba, liberándonos para un nuevo propósito y destino en Él. El Señor atravesó sufrimientos y luchas tan extremos, que no existe dolor en nuestras vidas que Él no pueda comprender en su totalidad. Jesús mismo se hizo como nosotros, para liberarnos del poder del pecado y su inevitable consecuencia, la muerte. Alabemos al que compartió nuestra naturaleza y ha roto las cadenas de esclavitud.

Después de recitar o cantar El Credo Niceno (localizado en el apéndice), ore lo siguiente:

Oh Dios, cuyo Hijo bendito vino a este mundo para destruir las obras del diablo y hacernos tus hijos y herederos de la vida eterna: Permítenos ser puros como Él es puro, para que cuando regrese nuevamente con poder y gran gloria, seamos semejantes a Él, en su Reino glorioso; donde Él vive y reina con su Espíritu Santo, un sólo Dios, por los siglos de los siglos, Amén.

~ Iglesia Presbiteriana (USA). **Book of Common Worship**. Louisville, KY: Westminister/John Knox Press, 1993. p. 236.

El Credo Niceno y oración

No hay prueba en esta lección.

Prueba

No hay versículos para memorizar en esta lección.

Revisión de los versículos memorizados

No hay tarea asignada en esta lección.

Entrega de tareas

CONTACTO

"¿Por qué le suceden cosas malas a la gente buena?"

1 Una noche, un niña estaba mirando las noticias locales con sus padres. Juntos escucharon la historia de un pequeño niño que fue atropellado cuando un conductor perdió el control de su vehículo a causa de la nevada. El niño murió poco tiempo después. Ese triste incidente hizo que, más tarde en la noche, la niña le preguntara a su mamá, la cual era creyente, "mamá, ¿recuerdas la historia que escuchamos hace un momento, sobre el niño que murió en el accidente? ¿Por qué sucedió? ¿Por qué le sucede esto a la gente que no ha hecho nada malo? ¿Podría Dios detener estas cosas antes de que sucedan? ¿Por qué le suceden cosas malas a la gente buena?" ¿Cómo respondería a estas preguntas si fuera uno de los padres de esta niña?

"No hay diablo"

2 En una de las horas de descanso laboral, mientras comíamos, surgió una discusión en el comedor entre dos empleados. Discutían los eventos del 11 de septiembre y la espeluznante destrucción de las torres gemelas en Nueva York. Uno manifestaba que este evento, al igual que otros similares, provenía de la obra de gente mala que era utilizada por el diablo como si fuera una herramienta. Todo el mal tiene sus raíces en las mentiras del diablo. El otro empleado rechazaba la idea, impugnando que la maldad es resultado de las malas decisiones que toman los individuos, las cuales no tienen relación alguna con demonios u obras satánicas. Culpar al diablo de estas cosas, dijo este empleado, es una excusa para no responsabilizarnos de nuestras propias acciones. Una vez que cada uno defendió su posición quisieran saber cuál es su opinión con respecto a estas cosas. ¿Qué les diría?

"¿Qué puedes prometerme?"

3 Un joven discípulo de Jesús evangelizaba en su escuela, dando un bosquejo de las Buenas Nuevas de salvación de Dios a través de Cristo Jesús. Él explicaba quién era Jesús, por qué vino a la tierra y el propósito de su muerte, además, lo que Dios promete a aquellos que reciben a Jesús como Señor y creen que Dios lo levantó de los muertos.

Después de escuchar detenidamente su testimonio, un joven necesitado dijo: eso está muy bien, pero no creo que eso de la vida eterna y la salvación me sean de ayuda ahora. Estoy sin dinero, en bancarrota, perdí mi trabajo hace dos días y el pago de la renta se vence en dos semanas. En mis estudios reprobé inglés, además mi novia y yo estamos en grandes luchas. No veo entonces cómo es que el hecho de aceptar a Jesús puede afectar mi vida. Quiero ir al cielo cuando muera, pero ¿qué acerca de hoy, qué de ahora mismo? ¿Qué puedes prometerme si le digo SÍ a Jesús hoy? ¿Habrá hoy una gran diferencia en mi vida si lo acepto? ¿Cómo contestarías a estas preguntas?

Guerra Espiritual: Atando al Hombre Fuerte

Segmento 1

Rev. Dr. Don L. Davis

1

Como resultado de la caída, el universo está en guerra. A pesar que todo lo que Dios creó era bueno, y el hombre era a Su imagen y semejanza, la rebelión del diablo y la primera pareja de hombres (Adán y Eva) hicieron que la humanidad cayera, y como resultado del pecado se desataron los poderes demoníacos de las tinieblas en este mundo, es decir, la corrupción y la muerte, la esclavitud y el sufrimiento, además del juicio sobre toda la humanidad.

Nuestro objetivo en este primer segmento: *Guerra Espiritual: Atando al hombre Fuerte* es que vea que:

- Lo que Dios creó era bueno, y el hombre fue hecho a Su imagen y semejanza, bueno, libre y completo.

- A causa de la desobediencia del diablo y la primera pareja, el universo está involucrado en una guerra espiritual.

- A pesar que Dios creó un mundo bueno, a causa de la caída los poderes demoníacos han sido desatados en el mundo, y como resultado la creación ha quedado sujeta a la corrupción y a la muerte.

- La raza humana está esclavizada espiritualmente desde los comienzos de la tierra, es decir, sujeta a enfermedades, muerte, alienación y egoísmo.

CONTENIDO

Resumen introductorio al segmento 1

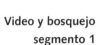

Video y bosquejo
segmento 1

I. Como resultado de la caída, el universo está en guerra.

A. Dios hizo la creación buena y al hombre a Su imagen y semejanza.

    1. Sal. 24.1-2

    2. Ex. 19.5

    3. Dt. 10.14

    4. 1 Cr. 29.11

    5. Job 41.11

    6. Sal. 50.12

    7. El mundo y la humanidad fueron creados buenos, libres y completos, creados para hacer lo justo y relacionarse en amor con Dios.

B. La persona de Satanás: nombres dados al diablo (un espíritu con poderes únicos, el cual esclaviza a las naciones, oponiéndose al Señor y causando el caos a través de la historia de la humanidad)

    1. El tentador, Mt. 4.1

    2. La serpiente y el engañador, Ap. 12.9-10

3. El mentiroso, Juan 8.44

4. Aquel que produce temor y miedo, a través de la muerte, Heb. 2.14-15

5. El señor de los ángeles caídos, Ap. 12.4

C. La rebelión del diablo como la causa del mal en el universo (su fuente fue el orgullo), Is. 14.12-17.

1. Deseo de ascender a los cielos, y ubicarse por encima de los ángeles

2. Deseo de ser semejante al Altísimo

3. Juicio del usurpador: el juicio final de Dios

  a. Gn. 3.15

  b. Is. 27.1

  c. Mc. 1.24

  d. Lc. 10.18

  e. Juan 12.31

  f. Juan 16.11

g. Ro. 16.20

h. Col. 2.15

i. Heb. 2.14

j. Ap. 20.10

D. La caída de Adán y Eva: Génesis capítulo 3

1. *Engaño:* fueron engañados por la astucia del diablo.

a. Las astutas mentiras en contra de la primera pareja humana, 2 Co. 11.3

b. Las mentiras y engaños de Satanás en nuestros días, 2 Co. 11.13-15

c. Evangelizar significa *liberar a la gente de las mentiras del enemigo*, Col. 2.8.

2. *Desobediencia:* se rebelaron contra el mandamiento de Dios.

a. Desprecio de la Palabra de Dios, Nm. 15.31

b. Transgresión a los mandamientos de Dios, 1 Sm. 15.24

c.   Alejamiento y negación de la obediencia de Dios, Dn. 9.11

d.   Desobediencia a la ley de Dios, Ro. 3.20

e.   Transgresión a la ley, Stg. 2.10-11

3.   *Muerte*: separación de Dios y de Su vida eterna, Ro. 6.23

a.   Sufrimiento físico de la muerte: acortamiento de la vida física; propensos a la enfermedad, corrupción y muerte

(1)   Gn. 2.16-17

(2)   Gn. 3.19

(3)   Ro. 5.12

b.   Separación espiritual de Dios y juicio final: alejados de la vida de Dios y preparados para el juicio eterno del Señor

(1)   1 Co. 6.9-10

(2)   Gál. 6.7-8

(3)   Ap. 21.8

4.   La promesa de salvación y liberación: la simiente de la mujer, Gn. 3.15

II. El mundo caído: Características de la maldición

A.   Desatando los poderes de las tinieblas en el mundo

1. Los poderes demoníacos enviados a la tierra, Gn. 3.14

2. Los poderes demoníacos obrando en y a través de aquellos que no conocen al Señor, Ef. 2.1-2

3. En cierto sentido, el enemigo ejerce autoridad sobre los habitantes de la tierra, Lc. 11.21-23.

4. Ciega las mentes de aquellos que no creen, 2 Co. 4.4

5. Está en el mundo, 1 Juan 4.4; 5.19

B. La puerta de entrada de la corrupción y la muerte en el mundo

1. Ro. 8.19-21

2. 2 Pe. 3.13

C. El estado caído de la humanidad: egoísmo, sufrimiento y muerte

1. Esclavitud al pecado

a. Pr. 5.22

b. Juan 8.34-36

2. Sujetos al sufrimiento y la miseria en todas las áreas de la vida: enfermedad y muerte.

   a. Hacia las mujeres, Gn. 3.16

   b. Hacia Adán, Gn. 3.17-19

3. Egoísmo en las relaciones con los otros: injusticia

   a. Tito 3.3

   b. 2 Ti. 3.2-3

Conclusión

» Dios creó todo bueno, e hizo al hombre a Su imagen y semejanza, siendo el mundo y todos sus habitantes buenos, libres y completos.

» A través de la desobediencia del diablo y de la primera pareja humana, el universo quedó involucrado en una guerra espiritual.

» Por causa de la caída, los poderes demoníacos fueron desatados en el mundo, y como resultado la creación quedó sujeta a la corrupción y la muerte.

» La raza humana está esclavizada espiritualmente, sujeta a enfermedades, muerte, alienación y egoísmo.

Seguimiento 1

Preguntas y reflexión acerca del contenido del video

Por favor, tome el tiempo necesario para responder éstas y otras preguntas que formula el video. Este segmento nos da las bases fundamentales de la evangelización y la guerra espiritual, siendo necesario que se entienda bien por qué la cruz es necesaria para la redención. Sea claro y conciso en sus respuestas, y siempre que sea posible, ¡base las mismas en las Escrituras!

1. ¿Cómo describe la Biblia la creación del mundo y de la raza humana hecha por Dios?

2. ¿Cuáles son los nombres bíblicos dados al diablo? ¿Cuál, según la Biblia, es la raíz y motivación de la rebelión y la desobediencia del diablo a los mandamientos de Dios?

3. ¿Cómo describe Génesis 3 la caída de la humanidad, es decir, la rebelión de Adán y Eva contra del Señor? ¿Cómo desenmascara la evangelización el engaño del diablo, el cual comienza en el huerto de Edén?

4. ¿En qué se diferencia la muerte física de la espiritual?

5. El juicio que Dios guarda para el diablo es cierto y seguro; ¿cómo describen las Escrituras su juicio y destrucción venidera?

6. La "Maldición" es resultado de la caída. ¿En qué manera este evento desató los poderes espirituales sobre el universo?

7. ¿Cómo describen las Escrituras el efecto de la caída? ¿Qué juicio profirió Dios sobre la tierra a causa del pecado de la humanidad?

8. ¿Qué significa que la humanidad está sujeta a la esclavitud y al pecado?

9. ¿Cómo enseña la Biblia que la caída trae a la vida humana las consecuentes enfermedades y corrupción? ¿Cómo lo explica Génesis 3 en relación a Eva? ¿Y en relación a Adán?

10. ¿En qué forma la caída abre las puertas al egoísmo y la injusticia en las relaciones humanas? Explique su respuesta.

Guerra Espiritual: Atando al Hombre Fuerte

Segmento 2

Rev. Dr. Don L. Davis

La salvación es la liberación de Dios de las ataduras del diablo y de los efectos de la caída. es decir, del pecado y su dominio. La evangelización es la declaración de las Buenas Nuevas de la liberación y salvación de las garras de Satanás y del pecado. Dios ha cumplido este propósito en la persona de Jesucristo.

Resumen introductorio al segmento 2

Nuestro objetivo en este segundo segmento: *Guerra Espiritual: Atando al Hombre Fuerte,* es permitir que vea que:

- La Biblia enseña que la salvación es la liberación de la humanidad de parte de Dios, liberándonos de los poderes del diablo y de los efectos del pecado.

- A través de la fe en la persona de Jesucristo, podemos ser librados del dominio de Satanás y su tiranía (su engaño y opresión) y del temor de la muerte.

- La salvación de Dios en Cristo nos libera de los efectos de la maldición y el pecado a través del poder del Espíritu Santo.

- La evangelización es la declaración de la libertad que se le da al mundo entero a través de la promesa y profecía de Dios, por medio de Jesucristo y en el poder de su Santo Espíritu.

I. La salvación consiste en liberarnos de los poderes del diablo.

Video y bosquejo segmento 2

   A. El propósito de la encarnación: destruir las obras del diablo

      1. Apareció para deshacer las obras del diablo, 1 Juan 3.8

      2. Jesús despojó a los principados y a las potestades, Col. 2.15.

3.   Participó de nuestra naturaleza con el propósito de destruir al diablo, quien tenía el poder de la muerte, Heb. 2.14

B.   El *protoevangelio*: la primera vez que se menciona el evangelio, Gn. 3.15

   1.   Enemistad entre la serpiente y la mujer

   2.   Hostilidad entre el simiente de la serpiente y la "Simiente" de la mujer

   3.   Tú le herirás en el calcañar, ésta te herirá en la cabeza

      a.   Hechos 2.23-24

      b.   Ro. 16.20

      c.   Ef. 4.8

      d.   Ap. 12.7-8

C.   El significado: la vida, muerte y resurrección de Jesucristo.

   1.   Su *vida*: la encarnación de la Gloria del Padre, Juan 1.14-18

   2.   Su *rectitud*: la representación del segundo Adán para una nueva humanidad, Ro. 5.17-19

3. Su *muerte*: el castigo como resultado de la desobediencia de la humanidad, Ro. 5.6-9

4. Su *resurrección*: la seguridad del perdón y la gracia de Dios

    a.   2 Co. 13.4

    b.   Ef. 1.19-23

II. La salvación es la liberación del pecado y sus efectos.

A. Liberación del *castigo del pecado*: el sacrificio sustituto de Cristo a causa de nuestros pecados

1. 1 Pe. 3.18

2. Ef. 2.16-18

3. Heb. 9.26-28

B. Liberación de la *persona de pecado*: nos libra de Satanás y su opresión demoníaca

1. 2 Co. 2.14

2. 1 Juan 4.4

3.   1 Juan 5.19

4.   1 Co. 2.12

5.   Ef. 6.12

C. Liberación de los *poderes del pecado*: el derramamiento del Espíritu Santo

1.   Ef. 1.13-14

2.   Ro. 8.14-16

3.   2 Co. 1.22

4.   Ef. 4.30

D. Liberación de la *presencia del pecado:* desde los comienzos hasta la consumación del Reino

1.   1 Ts. 5.23-24

2.   1 Co. 1.8-9

3.   Ef. 5.26-27

4. Fil. 2.15-16

5. 1 Ts. 3.13

6. Judas 1.24

III. Evangelización: Declarando las buenas nuevas de libertad y salvación a aquellos que necesitan oír el mensaje de Dios en Cristo Jesús

A. El lado *objetivo* de la evangelización: entender exactamente lo que Dios hizo para la creación y la humanidad en su sacrificio en la cruz (las Buenas Nuevas)

1. Evangelio apostólico (la tradición apostólica), 1 Co. 15.3-8

2. Prohibición de predicar un evangelio diferente, Gál. 1.8-9

B. El lado *subjetivo* de la evangelización: compartir las Buenas Nuevas de una forma sencilla, en la lengua y cultura de las demás personas

1. Lo que creemos y confesamos, Ro. 10.8-13

2. La necesidad del mensajero, Ro. 10.14-15

Conclusión

» La salvación es la liberación de la creación y la humanidad de Dios de los poderes del diablo y los efectos del pecado.

» A través de la fe en Jesucristo los creyentes son librados del dominio de Satanás y sus engaños.

» La liberación de Dios en Cristo también libera a los creyentes de los efectos de la maldición y del pecado a través del poder del Espíritu Santo.

» La evangelización es declarar al mundo entero la liberación a través de la promesa y la profecía de Dios por medio de Jesucristo y en el poder de Su Santo Espíritu.

Seguimiento 2

Preguntas y reflexión acerca del contenido del video

Las siguientes preguntas fueron diseñadas para ayudarle a repasar el material del segundo segmento del video, con el propósito de reconocer la íntima conexión entre la evangelización, la salvación, y la libertad, la cual afectará la manera en que entendamos y declaremos las Buenas Nuevas a los perdidos. Sea claro y conciso en sus respuestas y siempre que sea posible ¡respáldelas con la Escritura!

1. De acuerdo a las Escrituras, ¿por qué razón vino Jesús a este mundo? ¿Cómo es que la muerte de Jesús despojó a los principados y a las potestades de su tiranía sobre nosotros?

2. ¿Cuál es el *protoevangelio* y por qué es tan importante para nuestro entendimiento de la evangelización como proclamación del mensaje de *Dios de liberación* de la opresión satánica?

3. ¿Qué rol tiene Jesús en la destrucción del enemigo? Sea específico.

4. ¿Cómo es que la muerte de Jesús nos libera del poder del diablo, de nuestro temor a la muerte y de la esclavitud sufrida a causa de este temor?

5. ¿En qué forma la resurrección de Jesús nos brinda la confianza de que su liberación es aceptada por Dios?

6. ¿Qué nos enseña la Escritura acerca de la muerte de Jesús como el pago necesario y suficiente por nuestros pecados?

7. ¿Por qué los creyentes no deben temer nunca más a la dominación satánica? ¿Qué logró la muerte y resurrección de Jesús a favor de la humanidad?

8. ¿Cómo nos garantiza en la actualidad el Espíritu Santo que ya no estamos bajo el poder del pecado?

9. ¿Cuándo seremos los creyentes finalmente librados de la presencia del pecado?

10. Explique de qué manera la evangelización es la declaración a los no creyentes de las Buenas Nuevas de Dios para librar del pecado y de Satanás.

CONEXIÓN

Resumen de conceptos importantes

Esta lección se enfoca en los conceptos que nos permitirán entender la evangelización y la guerra espiritual. La evangelización no comienza cuando compartimos nuestras vidas y testimonios con los perdidos; comenzó hace varios siglos, cuando el diablo y la primera pareja se rebelaron contra Dios. A causa del deseo de tener una vida independiente de la provisión y autoridad de Dios, el universo entró en un caos, quedando así en una neblina espiritual. Éste entonces entró en una guerra espiritual contra Dios, el cual prometió enviarnos un libertador, quien heriría en la cabeza a la serpiente y liberaría de sus pecados a todo aquel que creyera en Él. ¡Jesucristo es este libertador! Entender esto resulta de gran importancia para comprender las acciones y objetivos de la evangelización y la respuesta de Dios para aquellos perdidos que creen en las Buenas Nuevas del evangelio.

☛ Dios hizo la creación buena y al hombre a Su imagen. Los habitantes de la Tierra fueron creados buenos, libres y completos.

☛ A causa de la desobediencia del diablo y la primera pareja, el universo se encuentra en una guerra espiritual, en tinieblas, e inmerso en un caos, por desobedecer la rectitud de Dios.

☛ A causa de la caída, los poderes demoníacos han sido liberados en el mundo, y como resultado, la creación está sujeta a la corrupción y la muerte.

☛ La humanidad está esclavizada espiritualmente, sujeta a enfermedades, muerte, alienación y egoísmo.

☛ La Biblia enseña que la salvación es la liberación de Dios de los poderes del diablo y de los efectos del pecado.

☛ A través de Jesucristo, los creyentes son liberados de la dominación y tiranía de Satanás (su engaño y opresión) y el temor a la muerte.

☞ La salvación de Dios en Cristo libera a los creyentes de los efectos de la maldición y el pecado a través del poder del Espíritu Santo.

☞ La evangelización es declarar al mundo entero la liberación a través de la promesa y profecía de Dios por medio de Jesucristo y en el poder de Su Santo Espíritu.

Aplicación del estudiante

Tómese un tiempo para hablar con sus compañeros acerca del conflicto espiritual que ha surgido como resultado de la caída, además del papel de la salvación en lo concerniente a liberarnos de las ataduras del diablo y del pecado. Estos conceptos son la raíz de toda discusión sobre la temática de la evangelización y la libertad espiritual. ¿Qué preguntas se formula a la luz del material estudiado? Tal vez algunas de las preguntas a continuación le ayuden a formular sus inquietudes más importantes de manera específica.

* ¿Por qué es importante afirmar desde un principio que la caída, la maldición, y los efectos del pecado son el resultado de *nuestra rebelión* y no de la *creación de Dios?*

* ¿Cómo podemos entender, a lo largo de la historia, aquellas cosas que son resultado de una influencia *satánica* conjuntamente con la mala decisión del *hombre*, el cual se atrevió a resistir la rectitud y bendición de Dios?

* Sabiendo que tanto la creación como la humanidad se encuentran en esclavitud a causa de las consecuencias que ha dejado el pecado, ¿por qué cree que Jesús es el único capaz de liberarnos? Defienda su respuesta utilizando las Escrituras.

* ¿Es justo que Dios considere a toda la humanidad culpable del pecado cometido por Adán y Eva? ¿Qué relación tiene *su pecado con la caída de éstos?*

* ¿Cómo afecta la forma en que compartimos las Buenas Nuevas que entendamos que la salvación es lo que nos hace libres de los poderes de las tinieblas? ¿Qué debemos esperar luego que la gente acepte las Buenas Nuevas de salvación en Cristo?

* ¿Cómo es que el creyente *vive en victoria* debido a la liberación que Jesús obtuvo a su favor en la cruz? Si un creyente no está viviendo en la libertad de Cristo, ¿cómo podríamos explicar lo que sucede en su situación en particular?

1

Engaño demoníaco versus responsabilidad personal

Estaba aconsejando a una familia que tenía un ser querido con problemas judiciales. Uno de los miembros de la familia cree de todo corazón que el engaño y la influencia demoníaca son la raíz de lo que sucedió con su ser querido. Solamente la influencia demoníaca podría explicar que cambiara tan repentinamente, que aceptara las malas influencias de algunos de sus amigos y se involucrara en un crimen tan violento. Otros familiares rechazaron este punto de vista. Ellos concluyeron que él sabía perfectamente lo que era correcto, pero decidió ignorar la ética enseñada en su hogar y optó por seguir los pasos de las malas influencias del barrio. ¿Cómo explicaría a esta familia la relación que existe entre el engaño del diablo en nuestras vidas y las malas decisiones que tomamos, las cuales nos conducen al mal, a causa de nuestra naturaleza pecaminosa?

No esperemos un cambio inmediato

Antes de salir a predicar puerta por puerta en la comunidad, se tiene una reunión en la cual un anciano da unas palabras de aliento a los que estaban por ir. Les pidió que no se desmoralizaran, que compartieran el evangelio con sus vecinos y oraran para que Dios obrara en sus vidas, pero que no esperaran ver cambios instantáneos en sus vidas. Aun cuando le dijeran sí a Cristo, los cambios morales requieren de mucho tiempo y esfuerzo. Algunos de los obreros rechazaron este punto de vista, objetando que podemos esperar cambios dramáticos cada vez que una persona acepta a Jesús como Señor y Salvador. ¿Cuál es la respuesta mejor, más correcta y más bíblica para esta discusión?

No es nuestra falta

Al presentarle las Buenas Nuevas de salvación a unos jóvenes que estaban en una esquina, uno de ellos rechazó la idea de que el barrio se encontrara en una difícil condición a causa del pecado. Él dijo, "Por años este país trató a la gente no blanca como ciudadanos de segunda clase, no se nos permitía votar, trabajar o participar en los asuntos sociales. Nosotros no pedimos para vivir en este barrio, y si pudiéramos votar, ninguno de los vecinos elegiría vivir en un vecindario en el cual la gente no está segura, donde las personas pasan hambre, no tiene buena ropa, buenos trabajos ni cosas agradables como mucha gente posee. ¡No me importa lo que usted diga! No es nuestra falta que las cosas estén así. La sociedad nunca nos ha tratado correctamente. ¡Ésta nos ha convertido en lo que hoy somos!" ¿Cómo contestaría a este punto de vista?

¿Dónde está el contenido?

Luego de enseñar sobre la idea bíblica de la salvación y la liberación, uno de mis estudiantes hizo una importante pregunta. "¿Qué clase de victoria podemos prometerle a la gente que ha vivido toda su vida, por décadas, inmersa en toda clase de cosas ilegales e inmorales? He trabajado por años en un programa de abuso de drogas, donde hemos compartido del Señor con los participantes, recibiendo de muchos de ellos la confirmación de haber recibido a Cristo. Aun así, luego de confesar este hecho, continúan en las drogas, las apuestas, además de seguir involucrados en cosas que no agradan al Señor. ¿Cómo podemos decir que la salvación conlleva liberación, cuando mucha gente que dice ser salva no vive una vida acorde a la libertad que Cristo nos ofrece?" ¿Cómo podría explicarnos estas cosas?

Reafirmación de la tesis de la lección

Aunque Dios creó el universo bueno y libre, éste quedó en tinieblas y se enredó en un caos a causa de la desobediencia del diablo y de la primera pareja humana, Adán y Eva. Como resultado de esta caída, los poderes demoníacos fueron liberados en el universo. Toda la creación fue maldita, quedando sujeta a la esclavitud y corrupción, mientras que la humanidad quedó atada al egoísmo, el sufrimiento y la muerte. A través de la muerte y resurrección de Jesucristo, la liberación de Dios ha venido a nosotros para rescatarnos del diablo y de los efectos del pecado. En Jesús hemos sido liberados de la paga del pecado, estamos siendo librados de la persona (es decir el diablo) y del poder del pecado por medio del Espíritu Santo, y pronto seremos liberados de la presencia del pecado, cuando se cumpla la Segunda Venida de Jesucristo. La evangelización es precisamente la declaración de esta liberación a través de las Buenas Nuevas del evangelio de Cristo.

Recursos y bibliografía

Si está interesado en profundizar algunas de la ideas con respecto a este capítulo: *Guerra Espiritual: Atando al Hombre Fuerte*, le recomendamos los siguientes libros (algunos de estos t tulos pueden estar disponibles en español, o revise nuestro portal en la red cibernética para recursos adicionales en español):

Billheimer, Paul. *Destined for the Throne*. Minneapolis: Bethany House, 1975.

Epp, Theodore H. *The Believer's Spiritual Warfare*. Lincoln: Back to the Bible, 1973.

Hayford, Jack W. (Executive Editor). *Answering the Call to Evangelism (Spirit Filled Life Kingdom Dynamics Study Guides)*. Nashville: Thomson Nelson Publishers, 1995.

1

Ahora es necesario que entienda cuál es el principio que le ayudará en forma práctica en su ministerio. Repase todas las ideas analizadas en este capítulo, los conceptos y verdades de esta lección, orando por aquellas ideas que ha logrado comprender. ¿En qué cosas ha hablado el Espíritu Santo a su corazón con respecto a la evangelización, la guerra espiritual o su ministerio de evangelización en la comunidad donde habita? ¿Qué circunstancia viene a su mente al recordar la promesa de liberación que Dios da a aquellos que creen las Buenas Nuevas de salvación? ¿Cómo anhela el Señor que cambie sus pensamientos según lo aprendido esta semana en clase? Cuando ore, pida al Señor sabiduría para meditar en buena forma sobre los puntos más importantes de esta lección, procure además obtener el discernimiento necesario para reconocer la verdad que el Espíritu Santo intenta enseñarle en este estudio.

Ore específicamente para que el Señor le dé su entendimiento a medida que procura comprender que la evangelización es la salvación que nos libera del poder del diablo, así como también del pecado y sus efectos. Pídale a Dios que aumente su fe para obtener resultados, para que entienda mejor que el evangelio es el mismo poder de Dios para salvación de todo aquel que cree (ver Romanos 1.16). Pida la unción del Espíritu a medida que comparte las Buenas Nuevas, para que el mismo poder liberador de Dios se muestre en las vidas de aquellos con los cuales comparte, a medida que este mismo poder continúa transformando su propia vida en Cristo.

Conexiones ministeriales

Consejería y oración

ASIGNATURAS

Hebreos 2.14-15 y 2 Corintios 11.3

Versículos para memorizar

Para prepararse para la clase, por favor visite www.tumi.org/libros para encontrar las lecturas asignadas de la próxima semana o pregunte a su mentor.

Lectura del texto asignado

Querido estudiante, recuerde que será interrogado sobre el contenido (contenido del video) de esta lección la próxima semana. Por favor, asegúrese de hacer el tiempo suficiente para repasar sus apuntes, sobre todo los conceptos importantes y las ideas principales de esta lección. Además, lea las páginas asignadas arriba y haga un resumen de cada lectura de no más de uno o dos párrafos. Su objetivo en este resumen es compartir su opinión sobre lo que cree es el punto principal en cada una de las lecturas. No se preocupe

Otras asignaturas o tareas

en proporcionar detalles; escriba de manera sencilla lo que considera es el punto principal de la sección del libro. Por favor, traiga los resúmenes a clase la próxima semana. (observe el Reporte de lectura al final de la lección).

Esperamos ansiosamente la próxima lección

Hemos estudiado en esta lección cómo la creación y la humanidad han quedado sujetas a la esclavitud por causa de la desobediencia del diablo y de la primera pareja humana, y cómo por este motivo el universo ha sido arrastrado a una guerra espiritual. La Biblia nos enseña que la salvación es la liberación de la creación y la humanidad por parte de Dios, el cual nos libra de los poderes del diablo y los efectos del pecado. A través de la vida, muerte y resurrección de Jesucristo, los creyentes son liberados del dominio de Satanás al igual que de los efectos de la maldición y el pecado.

La evangelización es precisamente el anuncio de esta liberación, el cual se basa en la promesa y profecía de Dios al mundo entero, por medio de Jesucristo y en el poder de Su Santo Espíritu.

En nuestra próxima lección estudiaremos cuidadosamente en qué consisten las Buenas Nuevas de libertad en Cristo Jesús, estableciendo un sólido fundamento bíblico para evangelizar en nuestra vecindad urbana no alcanzada.

Módulo 8: Evangelización y Guerra Espiritual
Reporte de lectura

Nombre_____

Fecha_____

Por cada lectura asignada, escriba un resumen corto (uno o dos párrafos) del punto central del autor (si se le pide otro material o lee material adicional, use el dorso de esta hoja).

Lectura 1

Título y autor: _____ páginas _____

Lectura 2

Título y autor: _____ páginas _____

LECCIÓN
2

Evangelización
El Contenido de las Buenas Nuevas del Reino

Objetivos de la lección

¡Bienvenido en el poderoso nombre de Jesucristo! Luego de leer, estudiar, discutir y aplicar los materiales, podrá:

- Mencionar algunos de los términos bíblicos del Nuevo Testamento que describen las Buenas Nuevas del evangelio.

- Explicar cómo la evangelización proclama el mensaje de salvación en Cristo a través del servicio y el amor hacia los demás.

- Explicar Romanos 10.9-10 como un pasaje simple pero poderoso sobre el mensaje del evangelio.

- Aprender claramente cómo ganar a otros para Jesús y discipularlos para que conozcan la verdad concerniente a Jesucristo.

- Detallar cómo la evangelización habla a los inconversos acerca de la persona y obra de Cristo Jesús, quién es Él y lo que hizo como el centro de nuestra fe y del evangelio.

- Destacar lo dicho en El Credo Niceno acerca de la encarnación, pasión, resurrección, ascensión y Segunda Venida.

- Dar a conocer a otros, por medio del uso bíblico que presenta El Credo Niceno, una historia del mensaje del evangelio, la cual pueda ser utilizada cuando compartamos el mensaje del evangelio en nuestras comunidades.

Devocional

Fieles en encargar a otros la doctrina apostólica

1 Corintios 15.1-8 - Además os declaro, hermanos, el evangelio que os he predicado, el cual también recibisteis, en el cual también perseveráis; [2] por el cual asimismo, si retenéis la palabra que os he predicado, sois salvos, si no creísteis en vano. [3] Porque primeramente os he enseñado lo que asimismo recibí: Que Cristo murió por nuestros pecados, conforme a las Escrituras; [4] y que fue sepultado, y que resucitó al tercer día, conforme a las Escrituras; [5] y que apareció a Cefas, y después a los doce. [6] Después apareció a más de quinientos hermanos a la vez, de los cuales muchos viven aún, y otros ya duermen. [7] Después apareció a Jacobo; después a todos los apóstoles; [8] y al último de todos, como a un abortivo, me apareció a mí.

En su ministerio evangelístico, el apóstol Pablo compartió con otros la historia precisa y la doctrina que a él mismo le había sido enseñada. Este mensaje fue el instrumento que el Señor utilizó para enseñarnos que si se cree, se tendrá como resultado la salvación del alma del creyente. Lo esencial del mensaje es la persona y obra de Jesucristo, el Mesías de Dios, quien murió por nuestros pecados como lo declaran las Escrituras, el cual fue enterrado y resucitó, de acuerdo al testimonio escritural. La Biblia afirma que el Señor Jesús, habiendo resucitado, apareció finalmente a un gran número de testigos. Éste es el simple y elegante mensaje de las Buenas Nuevas de liberación, la verdad que libera a todo aquel que cree. Algo crucial en la evangelización es el confiar estas buenas nuevas a gente confiable, la cual pueda enseñar también a otros (2 Timoteo 2.2). Nada es más importante para el mensajero de Dios que transmitir a otros la enseñanza de los apóstoles. Debemos transmitir la enseñanza apostólica sin variante alguna. Somos administradores de los misterios de Dios (1 Corintios 4.1-2), y es de suma importancia que se nos halle fieles. Debemos recibir esta enseñanza, guardarla, amarla y manifestarla abiertamente a otros. Aquellos que comparten el evangelio son aquellos que han sido verdaderamente cambiados por el mensaje. ¿Está comprometido a guardar la enseñanza apostólica que nos fue dada, las Buenas Nuevas de Cristo?

Después de recitar y/o cantar El Credo Niceno (localizado en el Apéndice), haga la siguiente oración:

El Credo Niceno y oración

Todopoderoso y Eterno Dios viviente, en tu tierno amor por la raza humana enviaste a tu Hijo, nuestro Salvador Jesucristo, para llevar en Él nuestra naturaleza y sufrir la muerte en la cruz, dándonos el ejemplo de su gran humildad: Misericordioso, concédenos que caminemos su senda de sufrimiento, además de compartir su resurrección; a través de Jesucristo nuestro Señor, quien vive y reina contigo y tu Santo Espíritu, un Dios, por los siglos de los siglos, Amén.

~ La Iglesia Episcopal. **The Book of Common Prayer and Administrations of the Sacraments and Other Rites and Ceremonies of the Church, Together with the Psalter or Psalms of David.** New York: The Church Hymnal Corporation, 1979. p. 219.

Prueba

Deje las notas a un lado, haga un repaso de sus pensamientos y reflexiones, y tome la Prueba de la lección 1, *Guerra Espiritual: Atando al Hombre Fuerte*.

· ·

Revisión de los versículos memorizados

Repase con un compañero, escriba y/o recite los versículos para memorizar en la última clase: Hebreos 2.14-15 y 2 Corintios 11.3.

· ·

Entrega de tareas

Entregue el resumen de la lectura asignada la última semana, es decir, su breve respuesta y explicación de los puntos principales del material de lectura (Reporte de lectura).

· ·

Evangelio del Reino o evangelio de la gracia de Dios

1 Los Testigos de Jehová andaban por el vecindario y visitaron su apartamento la semana anterior. Allí se aseguraron que el único evangelio predicado por Jesús fue el evangelio del Reino, el cual es diferente del evangelio de la Gracia de Dios, mencionado generalmente en las iglesias cristianas. El evangelio del Reino es la *regla para alcanzar la soberanía de Dios*, pero lamentablemente éste únicamente está al alcance de aquellos que se unen a la organización de los Testigos de Jehová. Todas las demás cosas no provienen de Jehová, dicen ellos, sino de los hombres. ¿Cuál es la relación entre ambos evangelios (si es que existen ambos), es decir, el evangelio del Reino y el evangelio de la gracia de Dios?

Mostrar más, hablar menos

2 En una discusión acerca de la necesidad de predicar el evangelio, un cristiano dijo "El problema con tantos tipos creyentes-bíblicos es que les encanta predicar a otros, pero rehusan amar solamente a la gente tal como son. Yo creo que se pueden predicar las Buenas Nuevas sin tener que decir una sola palabra. Sería de gran beneficio si compartiéramos más el evangelio a través de las obras de compasión y no tanto por nuestra palabrería". ¿Qué opina acerca de esta declaración?

Acciones, no doctrinas, es lo importante en el ministerio

Dos estudiantes que discutían la importancia de la evangelización estaban en completo desacuerdo en lo concerniente al peso que debía tener la doctrina en este ministerio. Mientras un estudiante opinaba que la doctrina representa el corazón del mensaje, el otro decía que discutir acerca de doctrinas teológicas imposibles de probar, sólo enturbia las aguas de aquellos que desean aprender acerca de Jesús. Mucha dedicación a la doctrina puede interferir con la presentación de las Buenas Nuevas. ¿Cuál es el papel de la doctrina cuando compartimos las Buenas Nuevas con los perdidos? En cuanto a lo que la doctrina se refiere, ¿debemos incluirla en nuestra mochila evangelística o llevar menos peso?

Evangelización: El Contenido de las Buenas Nuevas del Reino

Segmento 1: Contenido bíblico del evangelio

Rev. Dr. Don L. Davis

El único y verdadero evangelio de Jesucristo es conocido de varias formas, todas estas se refieren a las Buenas Nuevas de la gracia de Dios ofrecida a nosotros a través de la fe en Cristo Jesús. La evangelización es proclamar la persona y obra de Jesucristo y la redención que nos es ofrecida a través de Él, además de la confirmación del mensaje a través de nuestro testimonio de amor y servicio a los necesitados y quebrantados. Romanos 10.9-10 nos provee una clara y efectiva representación de los elementos esenciales contenidos en las Buenas Nuevas de Cristo.

Nuestro objetivo para este segmento, *Contenido bíblico del evangelio*, es permitirle que vea que:

- El evangelio (Buenas Nuevas) de Cristo es conocido por diferentes nombres en el Nuevo Testamento, los cuales señalan el ofrecimiento de Dios de redención y liberación en la persona de Jesucristo.

- La evangelización en la Escritura se ve tanto en la proclamación del mensaje de salvación en Cristo, como en la demostración del mismo a través del amor y el servicio a los demás.

- Romanos 10.9-10 nos presenta un simple y claro entendimiento del mensaje del evangelio en lo concerniente a confesar a Jesús como Señor y creer por medio de la fe que resucitó de entre los muertos.

CONTENIDO

2

3

Resumen
introductorio
al segmento 1

I. Términos bíblicos de las buenas nuevas

A. *Evangelion*: Buenas Nuevas

    1. Tiene dos sentidos en el Nuevo Testamento: proclamación activa del mensaje y el contenido que se proclama

    2. 1 Co. 9.14, "Así también ordenó el Señor a los que anuncian el evangelio, (es decir, *el contenido del evangelio*) que vivan del evangelio (es decir, de la *proclamación del evangelio*)".

    3. El contenido de las Buenas Nuevas

        a. El mensaje acerca de Cristo, 1 Co. 15.3-5

        b. El corazón de la predicación apostólica, 2 Ti. 2.8-9

        c. El poder de Dios para salvación, Ro. 1.16-17

    4. Respuesta al evangelio (indudablemente, este es el elemento más importante de la salvación), 2 Ts. 1.6-8.

B. Nombres dados a las Buenas Nuevas en el Nuevo Testamento

    1. El evangelio de Dios

        a. Marcos 1.14

2

b.   Romanos 1.16-17

c.   1 Tesalonicenses 2.9

2.   El evangelio de su Hijo, Ro. 1.9

3.   El evangelio de Jesucristo, el Hijo de Dios, Marcos 1.1

4.   El evangelio de nuestro Señor Jesús, 2 Ts. 1.8

5.   El evangelio de la Gloria de Cristo, 2 Co. 4.4

6.   El evangelio de la Gracia de Dios, Hechos 20.24

7.   El evangelio de la Gloria del Dios bendito, 1 Ti. 1.11

8.   El evangelio de su salvación, Ef. 1.13

9.   El evangelio del Reino

a.   Mt. 4.23

b.   Mt. 9.35

c.   Mt. 24.14

C. Observaciones generales

    1. El evangelio representa la identidad y ministerio de la Iglesia.

    2. El evangelio se enfoca en la persona y obra de Jesucristo.

    3. El evangelio es el poder de Dios para liberar y salvar a aquellos que le escuchan y reciben.

II. La evangelización como demostración y proclamación de las buenas nuevas

A. Evangelización: "diciendo y demostrando" las Buenas Nuevas

    1. A través de las buenas obras

        a. Creados por Dios para buenas obras, Ef. 2.8-10

        b. A través de nuestras buenas obras glorificamos a Dios, Mt. 5.14-16

    2. A través de nuestra unidad y amor en la Iglesia, Juan 17.20-23

    3. A través de nuestra obediencia y fidelidad al Señor, Tito 2.11-14

B. Evangelización: "diciendo y haciendo", comunicar las Buenas Nuevas

1. Predicando en privado

    a. Con claridad acerca de Jesucristo

        (1) Arrepentimiento hacia Dios y fe en Jesucristo, Hechos 20.20-24

        (2) Predicando a Jesucristo crucificado, 1 Co. 2.1-5

    b. Testificando en público

        (1) Ante Dios en Cristo, 2 Co. 2.17

        (2) Simplemente, con sinceridad de Dios, 2 Co. 1.12

        (3) Declarando abiertamente el evangelio, 2 Co. 4.2

2. El testimonio privado

    a. Felipe y el eunuco, Hechos 8.35-36

    b. Siempre listo, todo el tiempo, en público y en privado, 2 Ti. 4.1-2

3. Acompañado de mucho trabajo y sufrimiento

    a. Compartiendo el sufrimiento en el evangelio, 2 Ti. 1.8-9

    b. Volviéndonos insensatos por la causa de Cristo, 1 Co. 4.10-13

2

c. El compromiso de Pablo, 2 Co. 11.23-27

d. Cumpliendo en la carne lo que falta de las aflicciones de Cristo, Col. 1.24

e. Soportando el sufrimiento en el ministerio, 2 Ti. 4.5

III. El resumen del evangelio: Los factores claves de Romanos 10.9-10

Ro. 10.9-10 - Que si confesares con tu boca que Jesús es el Señor, y creyeres en tu corazón que Dios le levantó de los muertos, serás salvo. [10] Porque con el corazón se cree para justicia, pero con la boca se confiesa para salvación.

A. Cláusula uno: si confesares con tu boca: el Señorío de Cristo

1. Confesión con la boca: signo de convicción y fidelidad

2. El contenido de la confesión: la absoluta soberanía de Jesucristo sobre todas las cosas

a. Jesús murió y resucitó para ser Señor, Ro. 14.7-9.

b. Todos confesarán que Jesús es el Señor, Fil. 2.9-11.

B. Cláusula dos: si creyeres en tu corazón: la muerte, sepulcro y resurrección de Cristo para librarnos del pecado

1. Cristo Jesús murió físicamente

a. Jesús crucificado y muerto, Hechos 2.22-23

b. Mataron al Autor de la Vida, Hechos 3.13-15.

2. Su cuerpo fue enterrado en una tumba, donde yació muerto por tres días.

a. Su sepultura se dispuso con los impíos, Is. 53.9.

b. La historia del evangelio coincide con su entierro, Mt. 27.57-60.

3. Al tercer día Dios le levantó de entre los muertos.

a. Se presentó vivo, con pruebas indubitables, Hechos 1.3

b. El juicio que Cristo llevará a cabo sobre todos confirma su resurrección, Hechos 17.31

c. Si Cristo no resucitó, nuestra fe es vana, 1 Co. 15.16-21.

d. Dios levantó a Jesús de los muertos, Heb. 13.20.

C. Cláusula tres: si confesares a Jesús como Señor y crees en su obra redentora en la cruz, *serás salvo*

1. Confesar el señorío de Jesús nos guía a la salvación.

2.   La creencia en la muerte y resurrección de Jesús, nos es contada por justicia.

Conclusión

»   El evangelio (Buenas Nuevas) de Cristo es conocido con diferentes nombres en el Nuevo Testamento, todos ellos hablan del ofrecimiento de Dios de redención y liberación en la persona de Jesucristo.

»   La evangelización en las Escrituras es tanto la proclamación del mensaje de salvación en Cristo como también la demostración del mismo por medio de nuestro amor y servicio a los demás.

»   Romanos 10.9-10 provee una clara, simple y poderosa manera de entender que el mensaje del evangelio consiste en confesar el señorío de Jesús y tener fe en su resurrección.

2

Seguimiento 1

Preguntas y reflexión acerca del contenido del video

Por favor, tome el tiempo que necesite para contestar éstas y otras preguntas hechas en el segmento del video. Es fundamental que aprendamos como primera cosa el contenido esencial del evangelio, el cual representa los pasos más importantes para compartir las Buenas Nuevas de redención en forma efectiva a aquellos que nunca han oído o entendido la redención de Dios a través de Jesús. Sea claro y conciso en sus respuestas y en lo posible ¡básese en las Escrituras!

1.   Nombre tres de los nombres dados a las Buenas Nuevas de salvación en Jesucristo por los autores del Nuevo Testamento. ¿En qué forma el evangelio es la identidad y ministerio central de la Iglesia?

2.   ¿Cuál es la importancia de que el evangelio esté enfocado en la persona y obra de Jesucristo?

3.   ¿Qué rol cumplen las buenas obras, el amor y el servicio en el evangelio? ¿Es necesario demostrar todas estas cosas para enseñar las Buenas Nuevas? ¿Por qué?

4.   ¿Cómo es que la unidad en la Iglesia permite que los no creyentes entiendan que el evangelio de Cristo es legítimo y digno de confianza?

5.   ¿En qué ayuda a la proclamación del evangelio la existencia de una comunidad de creyentes sujeta y obediente?

6. ¿Qué cosas deben ser absolutamente claras cuando compartimos las Buenas Nuevas de salvación de Jesucristo? ¿Qué papel juega el mensaje de la cruz en la presentación del evangelio?

7. Según Jesús y los apóstoles, ¿cuál es la relación entre la obra y el sufrimiento que reciben los que actualmente comparten el evangelio?

8. En Romanos 10.9-10, ¿cuál es la relación entre confesar y creer? ¿Qué debe *confesar* y *creer* el creyente para ser salvo (liberado) por Dios?

9. ¿Puede un individuo ser salvo y perdonado si el mismo niega la resurrección física de Jesucristo? ¿Por qué sí o por qué no?

10. ¿Cuál es la promesa en Romanos 10.10 para aquellos que confiesan a Jesús como Señor, y creen en su corazón que Dios le levantó de los muertos?

2

Evangelización: El Contenido de las Buenas Nuevas del Reino

Segmento 2: El contenido de El Credo Niceno

Rev. Dr. Don L. Davis

La evangelización auténtica es cristocéntrica, en otras palabras, se centra en la persona y obra de Jesús de Nazaret, su muerte, sepultura y resurrección. Para comprender esta doctrina es necesario que toda evangelización honre a Dios, al igual que lo hace El Credo Niceno. Éste provee información bíblica e histórica de quién es Jesús y lo que generó su venida a este mundo.

Nuestro objetivo para este primer segmento, *El contenido de El Credo Niceno*, es lograr que vea que:

*   Para ganar a otros para Jesús y entrenar a los ya ganados para la misma tarea, debemos conocer la verdad acerca de Jesucristo. ¡La evangelización es contar a la gente acerca de la persona y obra de Jesucristo!

*   Un conocimiento perfecto de quién es Jesús y todo cuanto hizo constituye la base de nuestra fe y del evangelio.

Resumen introductorio al segmento 2

- El contenido doctrinal de las Buenas Nuevas se encuentra en El Credo Niceno, el cual provee una clara, útil y poderosa representación de las verdades más importantes asociadas con la encarnación de Jesús, su pasión, resurrección, ascensión y Segunda Venida.

- El contenido del Credo nos mostrará la historia del mensaje del evangelio, el cual podrá ser adaptado al mensaje que demos en nuestras comunidades.

El Credo Niceno (325 D.C.)

Creemos en un sólo Dios, Padre Todopoderoso, Creador del cielo, la tierra, y de todas las cosas visibles e invisibles.

Creemos en un sólo Señor Jesucristo, el Hijo unigénito de Dios, concebido del Padre antes de todos los siglos: Dios de Dios, Luz de la Luz, Dios verdadero de Dios verdadero, engendrado, no creado, de la misma esencia del Padre por quien todo fue hecho.

Quien por nosotros los hombres, bajó del cielo y por obra del Espíritu Santo, se encarnó en la virgen María, y se hizo hombre. Por nuestra causa fue crucificado en tiempos de Poncio Pilato, padeció y fue sepultado. Resucitó al tercer día, según las Escrituras, ascendió al cielo y está sentado a la derecha del Padre. Él vendrá de nuevo con gloria, para juzgar a los vivos y a los muertos, y su Reino no tendrá fin.

Creemos en el Espíritu Santo, Señor y dador de vida, quien procede del Padre y del Hijo, y juntamente con el Padre y el Hijo recibe la misma adoración y gloria, quien también habló por los profetas.

Creemos en la Iglesia santa, católica* y apostólica.

Confesamos que hay un sólo bautismo y perdón de los pecados, y esperamos la resurrección de los muertos y la vida del siglo venidero. Amén.

*El término "católica" se refiere a la universalidad de la Iglesia, a través de todos los tiempos y edades, de todas las lenguas y grupos de personas. Se refiere no a una tradición en particular o expresión denominacional (ej. como en la Católica Romana).

I.   Jesús descendió de los cielos y se humanó.

Vídeo y bosquejo
segmento 2

A. Preexistencia de Cristo: Jesús es el Verbo que habitaba con Dios desde el principio.

1. Miq. 5.2

2. Juan 8.58

3. Juan 1.1-2

2

B. El Verbo se hizo carne.

1. 1 Juan 1.1-3

2. Juan 1.14

3. Juan 1.18

4. Implicaciones

a. Jesús era el Hijo de Dios en su estado preexistente.

b. Jesús se humanó a través del poder del Espíritu Santo, nacido de la virgen María.

c. Como humano y siendo Dios, Él es el perfecto mediador entre Dios y la humanidad.

  (1) 1 Ti. 2.5-6

  (2) Heb. 7.25

  (3) Heb. 8.6

  (4) Heb. 12.24

II. Fue crucificado, sufrió, fue sepultado: Murió en la cruz

A. Jesús fue crucificado bajo la ocupación romana: administrada por Poncio Pilato, Juan 19.16-19.

  1. Una figura histórica

  2. En un tiempo en particular en la historia de la humanidad

B. Jesús sufrió físicamente muriendo en la cruz: el sufrimiento de Jesucristo.

  1. Su sufrimiento fue real, 1 Pe. 2.21-24.

  2. El sufrimiento de Jesús fue vicario (es decir, obró como nuestro sustituto), Is. 53.3-6.

C. El cuerpo muerto de Jesús fue puesto en una tumba: la sepultura de Jesucristo, Mt. 27.58 y siguientes.

III. Al tercer día resucitó de los muertos: La resurrección de Cristo

A. Al tercer día de acuerdo a las escrituras

1. Sal. 2.7

2. Sal. 16.10-11

3. Is. 53.10-12

4. Mt. 12.40

5. Hechos 2.25-28

B. El significado de la resurrección para la evangelización

1. Como símbolo de que Dios aceptó el sacrificio de Jesús, Ro. 5.9-10

2. Como muestra de la obtención de la victoria total, Col. 2.13-15

3. Como los primeros frutos de Dios para la humanidad, 1 Co. 15.20-23

4. Como una justificación de la deidad e identidad de Jesús, Ro. 1.1-4

IV. Él ascendió y está sentado a la diestra de Dios: La ascensión y sesión de Cristo

A. Ascendió a la diestra del Padre: Jesús es exaltado como Príncipe y Salvador.

1. Toda autoridad le es dada a Jesús, Mt. 28.18-20.

2. Jesús lidera los esfuerzos evangelísticos, desde su lugar, a la diestra del Padre, Hechos 2.32-36.

B. Sesión en los cielos: Jesús como Señor de todo

1. Jesús es el Hijo glorificado de Dios, el regente de Dios, Heb. 1.1-4.

2. Jesús es la cabeza de la Iglesia, Ef. 1.20-23.

3. Jesús es Señor de la cosecha, (el dador de la Gran Comisión).

a. Él está con nosotros en nuestra misión, hasta el final, Mt. 29.19-20.

b. Él es el Señor de la cosecha, Mt. 9.35-38.

V. Vendrá de nuevo para consumar Su Reino: El reino venidero de Jesucristo

A. Vendrá de nuevo a juzgar a los vivos y a los muertos.

2

1. Todo juicio es dado a Jesús, Juan 5.21-23.

2. Jesús será el juez de vivos y muertos.

    a. Hechos 10.42

    b. 2 Ti. 4.1

3. Dios juzgará al mundo por medio de la justicia de Jesús, Hechos 17.31.

4. Todos compareceremos ante el tribunal de Cristo, 2 Co. 5.10.

B. Su Reino nunca terminará.

    1. La evangelización tiene sus raíces en la promesa profética del Reino eternal de Dios en Cristo, Sal. 89.35-37.

    2. Jesús es el Hijo del Hombre, quien reinará por siempre, Dn. 7.13-14.

    3. El mensaje de Gabriel a María se cumplirá: reinará sobre la casa de Jacob para siempre, y su Reino no tendrá fin, Lucas 1.30-33.

Conclusión

» Debemos ganar personas para Jesús y entrenarles para que hagan lo mismo con otros, proclamando toda la verdad concerniente a Jesucristo. ¡La evangelización es proclamar audazmente la persona y obra de Jesucristo!

» La base del evangelio y de nuestra fe es un profundo conocimiento de la persona y obra de Jesús.

» El contenido doctrinal de mensaje de las Buenas Nuevas se encuentra en El Credo Niceno, el cual provee una clara y útil ayuda para la comprensión de las verdades más importantes asociadas con la encarnación, pasión, resurrección, ascensión y la Segunda Venida de Cristo.

» El Credo Niceno nos proveerá la historia del mensaje del evangelio, la cual puede ser adaptada al mensaje que demos en nuestras comunidades.

Seguimiento 2

Preguntas y reflexión acerca del contenido del video

Las siguientes preguntas fueron diseñadas con el propósito de ayudarle a repasar el material en el segundo segmento del video. El Credo Niceno provee una clara, útil, y concisa representación del contenido doctrinal que encierra el mensaje de las Buenas Nuevas, enfocándose en Su encarnación, pasión, resurrección, ascensión y Segunda Venida. ¡Conteste las siguientes preguntas basando sus puntos de vista en las Escrituras!

1. ¿Qué enseña El Credo Niceno acerca de la persona de Jesús antes de que Él descendiera del cielo y se encarnara?, ¿quién era antes de haber tomado forma humana?

2. ¿Cómo se relacionan el Espíritu Santo y la virgen María para engendrar a Jesús de Nazaret (humano)?

3. ¿Por qué es necesario declarar en la evangelización que Jesús fue físicamente crucificado, es decir, que murió en la cruz?

4. ¿Qué significa que el sufrimiento de Jesús por la humanidad fue "vicario"? ¿Qué papel tiene la sepultura de Jesús en relación a su muerte y ascensión?

5. Mencione 3 versículos del Antiguo Testamento que profeticen la resurrección del Mesías.

6. ¿Cuál es el significado de la resurrección del Mesías Jesús en lo concerniente a nuestra salvación, y por consiguiente, nuestra evangelización?

7. ¿Cómo se relaciona la ascensión con la comprensión que Jesús es el Señor de todo? Describa la sesión actual de Jesús en el cielo, ¿qué hace Él a la diestra de Dios Padre?

2

8. El Credo Niceno afirma que Jesús regresará al final de los tiempos para cumplir ciertas tareas. ¿Cuáles son y cómo se relaciona estas con el ministerio evangelístico?

9. ¿Cuál es la relación entre proclamar la salvación a través de las Buenas Nuevas de Cristo y la necesidad de Jesús de haber sido levantado de los muertos como lo manifiestan las profecías bíblicas del Antiguo Testamento?

10. Explique la frase: "La evangelización está arraigada en la promesa profética del Reino eterno de Dios en Cristo", Sal. 89.35-37.

CONEXIÓN

Resumen de conceptos importantes

Esta lección se enfoca en la importancia de tener una sólida doctrina bíblica en lo que respecta al ministerio evangelístico. La evangelización efectiva encuentra el alfa y la omega en la persona y obra de Jesucristo, el cual es el mensaje y el enfoque central. Para equipar a otros en la evangelización y para que nosotros mismos seamos equipados, debemos dominar la Palabra de Dios en todo lo referente a la persona de Jesús, compartiendo con claridad a aquellos que desean tener un claro y completo entendimiento de la obra Dios en Cristo para salvación y liberación, con el serio propósito de ser un pueblo bajo su reinado.

↪ Si bien el evangelio (Buenas Nuevas) de Cristo es conocido por diferentes nombres en el Nuevo Testamento, todos comparten el mismo mensaje, es decir, el ofrecimiento de Dios de redimir y liberar por medio de Jesucristo.

↪ La evangelización es vista en las Escrituras tanto como la *proclamación del mensaje de salvación* en Cristo, *como en su demostración a través del amor y el servicio a otros.*

↪ Romanos 10.9-10 provee un claro, simple y poderoso entendimiento del mensaje del evangelio, la *confesión del señorío de Jesús y la fe en su resurrección.*

↪ Para ganar personas para Jesús y entrenar aquellos que ya han sido ganados para hacer lo mismo, sencillamente debemos *conocer la verdad concerniente a Jesucristo.* ¡La evangelización es contar a la gente sobre la persona y la obra de Jesucristo!

↪ Un completo conocimiento de *quién es Jesús y qué ha hecho* es el tema central del evangelio y de nuestra fe.

☞ El contenido doctrinal del mensaje de las *Buenas Nuevas se encuentra en El Credo Niceno,* el cual nos provee una clara, útil y poderosa herramienta para entender la encarnación, pasión, resurrección, ascensión y Segunda Venida de Jesús.

☞ El dominio del contenido del Credo nos proveerá la historia del mensaje del evangelio, el cual podrá adaptarse al mensaje dado a nuestras comunidades.

Aplicación del estudiante

Discuta ahora con sus compañeros de clase las preguntas que le hayan surgido con respecto al contenido de esta lección concerniente a las Buenas Nuevas del evangelio. El evangelio debe ser proclamado y demostrado. La raíz de las Buenas Nuevas es confesar el Señorío de Jesús y creer que Dios le levantó de entre los muertos.

Una clara muestra del contenido del mensaje doctrinal de las Buenas Nuevas se encuentra en El Credo Niceno, el cuál nos provee una útil y poderosa guía para entender las verdades más importantes asociadas con la encarnación, pasión, resurrección, ascensión y Segunda Venida de Jesús. Para entenderla es necesario que formule sus preguntas acerca del material estudiado. Tal vez algunas de las preguntas a continuación le ayuden a formular las suyas propias de forma más específica.

* ¿Cómo sabemos con certeza que los varios títulos dados al evangelio en el Nuevo Testamento se refieren a lo mismo? (ver Gál. 1.8-9)

* ¿Es correcto enseñar que la demostración por obras del evangelio es tan importante como hablar de las Buenas Nuevas? Defienda su respuesta utilizando las Escrituras.

* ¿Cuál es el significado en la frase de Romanos 10.9: "Confesar con la boca que Jesús es Señor y creer con el corazón que Dios le levantó de los muertos"? ¿Son sólo aseveraciones? ¿Cómo sabe que ha confesado y creído verdaderamente?

* ¿Por qué es importante afirmar en la evangelización que Jesús murió físicamente y que resucitó, además de ser el mensaje central de la evangelización?

* ¿Qué papel tiene en el evangelio la resurrección de Jesús? ¿Podrá alguno ser salvo si no cree que Jesús fue levantado vivo de la tumba? ¿Por qué sí o por qué no?

* ¿Cuánto debe saber un evangelista acerca de la persona de Jesús para poder presentar el mensaje con claridad a aquellos que nunca han escuchado del ofrecimiento de Dios a través de Cristo Jesús?

2

Casos de estudio

Carácter, no contenido

En una reciente campaña evangelística, un pastor de jóvenes invirtió muy poco tiempo con ellos para ver el contenido doctrinal del evangelio. Él razonó, "La doctrina sólo nos lleva a discusiones innecesarias acerca de temas sin importancia. Prefiero tener un grupo de jóvenes que ardan por el Señor con un profundo amor hacia Él, que un grupo de personas que debaten sobre la teología y las ideas extrañas sobre el evangelio, la resurrección, encarnación y otros temas doctrinales". ¿Está de acuerdo o no con los puntos de vista del pastor de jóvenes? ¿Por qué sí o por qué no?

Esa clase de cosas no ayudan a nadie

Un poco preocupados debido a que su ministerio de alimentar a los necesitados estaba demasiado silencioso en cuanto a las Buenas Nuevas, en una reunión del ministerio, un obrero enfatizó la necesidad de que el equipo compartiera el evangelio en forma más abierta y clara. Otro de los obreros se opuso a la propuesta, diciendo "Hablamos muy claramente del amor de Dios en Cristo con las personas cuando les mostramos que nos interesan y les proveemos alimento, vestimenta, consejería en tiempos de crisis y un cuidado general. Cuando nos enfocamos en predicarles, inevitablemente opacamos nuestro amor y servicio, ya que se convierten en objetos en vez de seres humanos que necesitan nuestro amor. Si me preguntan, yo diría que el predicar está sobrevalorado. Aquellos que generalmente predican más fuerte son los que menos sirven. Francamente, ese tipo de cosas no le sirven a nadie". ¿Cómo respondería?

No tiene sentido para mí

Mientras que comparte el evangelio con una persona que parecería estar lista para aceptar al Señor, comienza a notar en su discurso más y más las ideas de los Testigos de Jehová. Comienza a preocuparse cuando manifiesta serenamente que Jesús jamás resucitó de los muertos, sólo su espíritu fue resucitado por Dios. Entonces comienza a mostrarle material de los Testigos de Jehová, y luego cita textualmente 1 Corintios 15.45, donde dice, "Así también está escrito: Fue hecho el primer hombre Adán alma viviente; el postrer Adán, espíritu vivificante". Él le demanda fuertemente una respuesta a su pregunta: *¿Por qué necesito creer que Jesús resucitó de los muertos físicamente para ser salvo? Eso simplemente no tiene sentido para mí.* ¿Cómo respondería a esta pregunta?

Una carga muy pesada de llevar

 En un entrenamiento de carácter evangelístico en la iglesia, una joven cristiana se ha desilusionado y desanimado. Ella se inscribió en el curso ya que estaba interesada en compartir al Señor con sus compañeros de trabajo, pensando que el mismo sería maravilloso para esta tarea y le ayudaría a prepararse. Una vez comenzado el curso se sintió aturdida al escuchar lo que el instructor manifestaba concerniente a las cosas que se debían saber para compartir el mensaje de las Buenas Nuevas de Dios con otros. Ella había compartido a Cristo con otros anteriormente, pero no conocía estas "cosas nuevas" de las cuales hablaba el instructor. Frustrada preguntó, ¿por qué debemos conocer toda esta doctrina para compartir el amor de Jesús con otros? ¿Cuándo es suficiente? ¿Cuánto debemos saber para compartir al Señor efectivamente con otros?

Reafirmación de la tesis de la lección

A pesar que el Nuevo Testamento da distintos nombres a las Buenas Nuevas de la gracia en Cristo, todos ellos se refieren al ofrecimiento de la gracia de Dios en Jesús. El evangelio debe ser proclamado en palabras y en amor, siendo la esencia de las Buenas Nuevas la confesión del señorío de Jesús y la firme creencia de que el mismo fue levantado de entre los muertos. El mensaje de El Credo Niceno es un claro y amplio contenido doctrinal que nos provee una clara y útil representación de las verdades más importantes asociadas con la encarnación, pasión, resurrección, ascensión y Segunda Venida de Cristo.

2

Recursos y bibliografía

Si está interesado en profundizar sobre *Evangelización: El Contenido de las Buenas Nuevas del Reino* le recomendamos estos libros (algunos de estos t tulos pueden estar disponibles en español, o revise nuestro portal en la red cibernética para recursos adicionales en español):

Ladd, George Eldon. *The Gospel of the Kingdom*. Grand Rapids: Eerdmans, 1999.

Shenk, David W. And Ervin R. Stutzman. *Creating Communities of the Kingdom*. Scottsdale, PA: Herald Press, 1998.

Snyder, Howard A. *Kingdom, Church, and World*. Eugene, OR: Wipf and Stock Publishers, 1985.

Conexiones ministeriales

El evangelio y su contenido es importante para su ministerio, y sin duda el Espíritu Santo le ha iluminado con ideas prácticas para que las lleve a cabo en su ministerio y vida personal. Examine sus pensamientos y puntos de vista y observe lo que el Señor le está sugiriendo acerca de la aplicación de estos puntos de vista en forma práctica en su obra. ¿Qué dice el Espíritu Santo a su corazón en lo concerniente a dominar el tema de las Buenas Nuevas, especialmente en su habilidad de mostrar y defender a la persona de Cristo cuando lo comparte a otros? ¿Qué situación en particular viene a su mente cuando piensa acerca de cómo el Señor desea que manifieste con claridad la verdad que está en Cristo? Pregúntele al Señor cómo puede relacionarse más con estos conceptos.

No dude en estudiar adicionalmente en esta área con su mentor u otros de la forma que el Señor le guíe. Necesitará ejercitar estas verdades para familiarizarse con las Escrituras en cada uno de estos aspectos o tal vez el Señor le pida que examine otros textos para tener un mejor entendimiento del contenido de las Buenas Nuevas. Pida la dirección del Espíritu Santo para ser equipado y equipar a otros para compartir las Buenas Nuevas de Cristo.

Consejería y oración

2

Romanos 10.9-10

Versículos para memorizar

Para prepararse para la clase, por favor visite www.tumi.org/libros para encontrar las lecturas asignadas de la próxima semana o pregunte a su mentor.

Lectura del texto asignado

Asegúrese de leer cuidadosamente el material asignado y memorice el pasaje de la Escritura para la semana. Como de costumbre, haga un breve resumen de su lectura y tráigalo a clase la próxima semana (por favor ver el "Reporte de lectura" al final de la lección). Es tiempo de que comience a pensar en el proyecto ministerial que habrá de conducir. De igual forma, debería decidir qué pasaje de la Escritura usará para su proyecto exegético. Un consejo: cuanto antes determine sus proyectos y los temas asociados con los mismos, más fácil será tenerlo pronto para la fecha de entrega. Por esta razón, *no se demore* en determinar su proyecto ministerial o exegético. ¡Cuanto antes los seleccione más tiempo tendrá para prepararlos!

Otras asignaturas o tareas

Esperamos ansiosamente la próxima lección

Hemos cubierto algunas de las bases esenciales que involucran la evangelización y la guerra espiritual. Entendemos las raíces teológicas de la caída y la maldición, y la nueva esperanza que recibimos cuando entendemos la evangelización como la declaración de la liberación de Dios a través de Cristo. La evangelización consiste tanto en la proclamación del mensaje de salvación en Cristo como en su demostración a través del amor y el servicio a otros. Hemos visto que El Credo Niceno nos revela la naturaleza cristocéntrica del evangelio.

En nuestra siguiente lección, enfocaremos nuestra atención en entender las formas en las cuales nuestras vidas, palabras, y acciones, pueden alcanzar a los hombres y las mujeres no salvos que se encuentran en nuestro vecindario.

2

Nombre_____

Fecha_____

Por cada lectura asignada, escriba un resumen corto (uno o dos párrafos) del punto central del autor (si se le pide otro material o lee material adicional, use el dorso de esta hoja).

Lectura 1

Título y autor: _____ páginas _____

Lectura 2

Título y autor: _____ páginas _____

Evangelización
Métodos para Alcanzar a la Comunidad Urbana

Objetivos de la lección

¡Bienvenido, en el poderoso nombre de Jesucristo! Después de leer, estudiar y discutir los materiales de esta lección, podrá:

- Compartir con otros la clase de vida y de conducta que debemos adoptar como líderes para alcanzar las comunidades urbanas.

- Mostrar a través de las Escrituras cómo la evangelización no es sólo lo que digamos, sino quiénes somos y qué hacemos (la evangelización debe llevarse a cabo con un carácter espiritual sólido y genuino).

- Nombrar la clase de cualidad espiritual necesaria para obtener credibilidad como testigos de la gracia de Dios en Cristo (a través de nuestro caminar con Dios, la relación que tengamos con nuestra familia y con los extraños).

- Demostrar con las Escrituras lo importante que es tener una vida de fe, celo por las cosas de Dios, especialmente a favor de los pobres y vulnerables.

- Apreciar cómo preparar una evangelización efectiva a través de la oración intercesora.

- Manifestar bíblicamente la importancia que tiene ganar almas para Cristo, la predicación en público y el discurso evangelístico.

- Resumir la importancia del concepto de la red u *Oikos* en la evangelización urbana.

Devocional

Evangelización, el estilo de Jesús

Mt. 25.41-46 - Entonces dirá también a los de la izquierda: Apartaos de mí, malditos, al fuego eterno preparado para el diablo y sus ángeles. [42] Porque tuve hambre, y no me disteis de comer; tuve sed, y no me disteis de beber; [43] fui forastero, y no me recogisteis; estuve desnudo, y no me cubristeis; enfermo, y en la cárcel, y no me visitasteis. [44] Entonces también ellos le responderán diciendo: Señor, ¿cuándo te vimos hambriento, sediento, forastero, desnudo, enfermo, o en la cárcel, y no te servimos?

[45] Entonces les responderá diciendo: De cierto os digo que en cuanto no lo hicisteis a uno de estos más pequeños, tampoco a mí lo hicisteis. [46] E irán éstos al castigo eterno, y los justos a la vida eterna.

Las enseñanzas de Jesús acerca del juicio, en el capítulo 25 del libro de Mateo, es uno de los discursos más importantes que nuestro Señor dio acerca de la naturaleza de la salvación y de una verdadera intimidad con Él. Es posible que en la actualidad se piense que es salvo aquel que agacha la cabeza al final de la invitación a recibir a Cristo en una reunión evangelística, o a la persona que levanta la mano cuando el predicador hace el llamamiento al final de una estrategia de avivamiento. Jesús describe la verdadera relación con Él de forma completamente diferente. Aquellos que le conocen, los cuales heredarán la vida eterna y el Reino que Dios ha preparado a los suyos, son aquellos que han demostrado una extraordinaria misericordia hacia los hambrientos, los sedientos, los extraños, los que carecen de vestido, los enfermos y los presos. Aquellos que conocen a Cristo, involuntariamente brindan su servicio y gracia hacia los quebrantados y dolidos, y para su sorpresa, en el juicio futuro se dan cuenta que al ministrar al necesitado, han estado ministrando al mismo Señor. Jesús define en este texto la vida religiosa; no es simplemente saber algunas cosas y comunicarlas, la religión pura muestra su compasión hacia los quebrantados, se identifica completamente con el Mesías, atiende al necesitado. Hacerlo es atenderle a Él. ¿Qué pasaría si redefinimos la doctrina de la "Seguridad de Salvación", diciendo que consiste en proveer al hambriento, al sediento, al extraño, al carente de abrigo, al enfermo y al preso. Esto sería entender la salvación y la evangelización en una nueva manera, al hacerla, al *estilo de Jesús.* Que Dios nos dé la gracia para ver a través de los ojos del Señor y ver a aquellos que de verdad son en efecto *Cristo en otra persona.*

Después de recitar o cantar El Credo Niceno (localizado en el Apéndice), haga la siguiente oración:

Mantén, oh Señor, tu casa, la iglesia, en la firmeza de tu fe y amor, que a través de tu gracia proclamemos tu verdad con entereza y ministremos tu justicia con compasión; para la honra de nuestro salvador Jesucristo, quien vive y reina contigo y el Espíritu Santo, un Dios, por los siglos de los siglos, Amén.

~ La Iglesia Episcopal. **The Book of Common Prayer and Administrations of the Sacraments and Other Rites and Ceremonies of the Church, Together with the Psalter or Psalms of David**. New York: The Church Hymnal Corporation, 1979. p. 230

El Credo Niceno y oración

Prueba

Deje sus notas a un lado y haga un repaso de sus pensamientos y reflexiones. Tome la prueba de la lección 2, *Evangelización: El Contenido de las Buenas Nuevas del Reino.*

Revisión de los versículos memorizados

Revise con un compañero, escriba y/o recite el texto asignado para memorizar: Romanos 10.9-10.

Entrega de tareas

Entregue el resumen de la lectura asignada la semana pasada, es decir, su breve respuesta y explicación de los puntos más importantes del material de lectura (Reporte de lectura).

Credenciales

1 En una campaña evangelística, la hermana Pérez, uno de los miembros de más edad en la congregación, se presentó el día sábado para ir de puerta por puerta con el propósito de alcanzar almas para Cristo. Este evento tenía como regla que quienes querían participar debían tomar entre 4 a 6 reuniones para prepararse y dar las mejores respuestas a las inquietudes y preguntas que recibirían al compartir el evangelio con los vecinos. La hermana Pérez, la cual deseaba desesperadamente ser parte del grupo, sólo pudo asistir a 3 de las 6 sesiones de entrenamiento. Sin duda alguna, ella es muy espiritual, su comportamiento es bibliocéntrico y además es una cristiana que emana frescura. Tiene además un gran historial de enseñanza y entrenamiento, y comparte su fe en todas partes de forma natural. ¿Debería permitírsele a la hermana Pérez participar en la campaña? ¿Por qué sí o por qué no?

Demasiado novato

2 Recientemente, nuestra congregación dio la bienvenida a un ministro interino, el cual trabajaría en la iglesia durante un año en tareas de evangelización y misiones. Al haber egresado de un afamado seminario bíblico, está bien entrenado en la Escritura y los lenguajes bíblicos, tiene experiencia en el ministerio desde la posición de pastor asociado en otra iglesia, y sirvió varias veces en pequeños viajes misioneros al extranjero y en otras comunidades urbanas. Este ministro es el individuo perfecto para la posición, si no fuera por el hecho que no muestra respeto por los demás. En todo cuanto hace y dice, refleja una actitud que parece decirle a los otros miembros del grupo "soy más santo que tú", y demuestra una actitud de superioridad sobre los otros miembros del comité evangelístico. Es apreciado por la mayoría de la congregación, y el pastor considera que la iglesia es afortunada en contar con él por 1 año. ¿Qué cree que deberían hacer los miembros del comité para cuestionar la actitud de superioridad del joven pastor?

Ignorante y sin conocimiento

Sin duda alguna, la evangelista más preparada de la iglesia es una persona que difícilmente puede leer, pero que ama al Señor. Todos saben que la hermana tiene el don de evangelización; ella puede recitar cualquier texto de la Biblia, manifestarlo en un mensaje evangelístico y hacer que otros se arrepientan y crean en Cristo. Es una buena cristiana, una madre ejemplar, con una tremenda carga por el ministerio. Hace un tiempo habló con el pastor acerca de la posibilidad de liderar el entrenamiento de otros obreros para que compartan efectivamente la fe. El pastor quedó contento con esta posibilidad, pero conoce la preocupación de otros miembros con respecto a la preparación académica y entrenamiento, a pesar de ser ella la hermana con el don de evangelización más visible. ¿Qué le aconsejaría al pastor en este caso?

3

Evangelización: Métodos para Alcanzar a la Comunidad Urbana

Segmento 1: Nuestro caminar con Dios

Rev. Dr. Don L. Davis

CONTENIDO

Evangelizar es vivir una vida que exprese la belleza del Señor, a través del carácter y la madurez que comunican el poder del evangelio juntamente con nuestras palabras y proclamaciones. Nuestro caminar con Dios debe anteponerse a nuestro hablar de Dios.

Nuestro objetivo para este segmento, *Nuestro caminar con Dios*, es que vea que:

- Nuestro estilo de vida y conducta debe coincidir con nuestras palabras cuando compartimos la Buenas Nuevas en las comunidades urbanas.

- La evangelización no es únicamente lo que decimos, sino también quiénes somos y qué hacemos. La credibilidad que necesitamos para hablar con persuasión acerca del Señor Jesús en nuestras comunidades, debe fijar sus raíces en un carácter sólido y en una espiritualidad genuina.

Resumen
introductorio
al segmento 1

- Evangelizar es vivir una vida que refleje la hermosura del Señor, debemos ser la clase de personas que comunican a través de su vida el poder del evangelio, hablando y presentando el mismo en las comunidades.

- Debemos probar nuestra fidelidad, manteniendo un buen testimonio en nuestra relación con Dios, con nuestras familias y amigos.

- El testimonio creíble que sirve como base firme para compartir a Cristo es una fe puesta en práctica, reflejada en el celo de hacer buenas obras, especialmente a favor de aquellos que son pobres y extremadamente vulnerables.

Video y bosquejo segmento 1

I. Como discípulos, estamos sólidamente convertidos a Jesucristo: La experiencia personal del perdón de Dios a través de la fe en Cristo Jesús

A. Arrepentimiento personal y fe en Jesucristo

1. La exhortación de Pablo fue clara a los Corintios: examínese cada uno a sí mismo, 2 Co. 13.5-6.

2. La evangelización está basada en la preparación personal.

   a. Salmos 17.3

   b. Salmos 26.2

   c. Salmos 119.59

   d. Salmos 139.23-24

3

3. Exhortamos con naturalidad a otros a seguir a Cristo así como nosotros le seguimos, 1 Co. 11.1.

4. Nos disciplinamos a nosotros mismos, no sea que seamos echados fuera, incluso cuando llevemos a otros a Cristo, 1 Co. 9.24-27.

5. Cultivamos un fuerte caminar con Cristo, desafiando a otros a seguir nuestro ejemplo, Fil. 3.13-17.

B. La habilidad y el deseo de comunicar nuestra fe personal en Cristo.

1. Ro. 15.14

2. Debemos ser lo suficientemente fuertes para enseñar a otros la Palabra de Dios, Heb. 5.12-14.

a. El cristiano debe conocer la Palabra de Dios con profundidad para explicar lo que Dios ha hecho en su vida y por qué.

b. Debemos comprometernos en cumplir con nuestra parte, en lo que respecta a compartir el evangelio encomendado en la Gran Comisión.

3. Si conocemos la Palabra de Dios, debemos pedirle a Dios un corazón dispuesto y listo para compartir las Buenas Nuevas con otros.

a. 2 Ti. 2.2

b. 1 Pedro 3.15

4. Sin duda, el método de evangelización urbano más efectivo es una verdadera vida transformada, Mt. 5.14-16.

II. Muestras consistentes del carácter cristiano en la familia, el cuerpo de Cristo y ante los incrédulos

A. Relación de amor con la familia

1. Como hijo o hija, Ef. 6.1-3

2. Como esposa, 1 Pe. 3.7

3. Como padres

   a. Como líderes espirituales en el hogar, Josué 24.15

   b. Conservando la fe para las generaciones futuras, Dt. 4.9

   c. Como instructor en la disciplina del Señor, Ef. 6.4

4. Como caudillo en un clan

   a. 1 Ti. 5.4

   b. 1 Ti. 5.8

3

B. Mantener buenas relaciones dentro de la comunidad cristiana

    1. Como miembros de una iglesia local, Gál. 6.2

    2. Invertir tiempo, esfuerzo físico y dinero en ser verdaderos miembros del Cuerpo, Juan 13.34-35

    3. Edificando las relaciones con los líderes y pastores, Heb. 13.17

C. Testimonio creíble ante los incrédulos

    1. En el trabajo

        a. Como jefe

            (1) Justo y con un trato igualitario, Col. 4.1

            (2) Sin amenazas, ni intimidaciones, Ef. 6.9

            (3) Salario justo, Lv. 19.13

            (4) La opresión de los siervos socava su ministerio, Is. 58.3

            (5) Dios se opone a las prácticas injustas, Santiago 5.4

        b. Como empleado

            (1) Trabajo legítimo para Cristo, Ef. 6.5-8

            (2) No sirviendo al ojo, Col. 3.22

    2. En sus comunidades, 1 Pe. 3.8-12

3. En contacto con los no creyentes (impíos)

    a. Col. 4.5-6

    b. Sal. 90.12

    c. Mt. 10.16

    d. 1 Pe. 3.15-16

III. Un celo por buenas obras: Justicia y misericordia en favor de los pobres

A. ¿Por qué el celo por buenas obras es tan importante para que la evangelización urbana sea creíble?

    1. El trato hacia los desprovistos como un barómetro de la vitalidad espiritual, Is. 58.5-12

    2. Una fe que es viva, Santiago 2.14-17

    3. Como evidencia de que el amor de Dios mora en nosotros, 1 Juan 3.16-18

    4. Como una señal de respeto hacia la religión pura, Santiago 1.27

    5. Como símbolo del ministerio vicario del Señor Jesús, Mt. 25.41-46

3

B. Adoptar un estilo de vida que ministre amor, servicio y justicia para el pobre.

1. Ir donde ellos viven, trabajan y juegan para servirles, Juan 12.24-26

2. Ser discreto, Mt. 6.2-4

3. Ser generoso con aquellos en necesidad, 2 Co. 9.6-8

4. Servir a aquellos que no puedan regresar un favor

   a. Lucas 14.12-14

   b. Lucas 6.32-36

5. Compartir nuestros bienes, 1 Juan 3.16-18

6 No mostrar favoritismo con los ricos y poderosos, Santiago 2.5-6

La evangelización debe ser una forma de vida, una conducta en la cual nuestras relaciones con los demás reflejen la lealtad a Jesús y preparen así el camino para compartir las Buenas Nuevas con otros.

"¡Comparte las Buenas Nuevas con los perdidos, y si es necesario habla!"

~ Francisco de Asís

Conclusión

» La evangelización no es únicamente hablar, sino también enseñar y mostrar.

» La evangelización comienza con nuestra propia calidad de vida y testimonio, nuestro caminar con Dios, familia, vecinos y comunidad.

Seguimiento 1

Preguntas y reflexión acerca del contenido del video

Por favor, tome su tiempo para responder a éstas y otras preguntas sobre la relación de la evangelización con el carácter y la credibilidad. Sea claro y conciso en sus respuestas y en lo posible ¡básese en las Escrituras!

1. ¿Por qué es necesario ser primeramente seguidor de Cristo *antes* que e*vangelistas* efectivos para Cristo?

2. ¿De qué forma ser de ejemplo para otros es parte integral de la labor evangelística? ¿Cómo el testimonio de vida del *evangelista* refleja algo positivo o negativo acerca de las Buenas Nuevas?

3. ¿Por qué nuestro ministerio nunca puede exceder los límites de nuestra profundidad y madurez en Cristo? Si esto es así, ¿podemos acaso compartir *más* de lo que verdaderamente somos en nuestras vidas personales? Explique su respuesta.

4. ¿Por qué es tan importante para la evangelización demostrar una vida transformada?

5. ¿Cuál debe de ser nuestra respuesta a aquellos que desean ministrar en el nombre de Cristo, pero cuya relación con sus familiares está fracturada? ¿Existen límites para esto? En caso que sí, ¿cuáles son?

6. ¿Por qué el Nuevo Testamento da tanta importancia a la necesidad de reflejar nuestro testimonio a aquellos que necesitan de las Buenas Nuevas del Reino?

7. La Biblia enfatiza que mantengamos un testimonio creíble con aquellos que están fuera del evangelio, en la medida que compartimos el testimonio de Cristo. ¿Por qué debemos tener y mantener una reputación honorable ante aquellos que aún no conocen del Señor? ¿Por qué es importante esto para la evangelización?

8. ¿El celo por buenas obras, entre los necesitados y los pobres, es un elemento importante en la evangelización urbana? ¿Por qué sí o por qué no?

3

9. ¿Qué debemos hacer con respecto a alguien que comparte preponderantemente las Buenas Nuevas, pero cuya vida personal está fuera de orden? Explique su respuesta.

10. Complete la siguiente frase. "Aquellos que han de tener un poderoso ministerio de evangelización en la ciudad, deben de prepararse para su labor por medio de _____".

Evangelización: Métodos para Alcanzar a la Comunidad Urbana

Segmento 2: Por la palabra de tu boca

Rev. Dr. Don L. Davis

3

Debemos prepararnos para la evangelización a través de un programa estructurado y la oración intercesora. La evangelización urbana implica ganar almas a nivel personal, así como predicar públicamente y alcanzar almas para Cristo. La forma más efectiva de evangelización urbana tiene que ver con la familia y las amistades, o el concepto bíblico de los grupos familiares conocido como *oikos*.

Resumen introductorio al segmento 2

Nuestro objetivo en este segmento, *Por la palabra de tu boca*, hará que entienda que:

*   La base y terreno para toda la evangelización urbana es un ministerio programado, consistente y que prevalece en la oración intercesora.

*   Para poder ganar tantos vecinos como sea posible, debemos animar la práctica de ganar almas a nivel personal y compartir el testimonio, así como también la prédica en público y los eventos evangelísticos.

*   El principio más efectivo para penetrar en las comunidades urbanas con el evangelio es a través del concepto bíblico de los grupos familiares ú *oikos*. Ayudar a los creyentes a compartir el evangelio en el contexto de su *oikia* descansa en el corazón de todo el equipamiento de la evangelización urbana.

I. La evangelización demanda y debería ser precedida por una contínua y predominante oración intercesora.

A. ¿Por qué es importante la oración intercesora para la evangelización?

1. La gente está espiritualmente ciega a la verdad del evangelio.

2. La gente está esclavizada y se encuentra bajo la autoridad y dominio del diablo, Mt. 12.25-30.

3. La oración es un arma poderosa en el ministerio espiritual, asociada con las promesas del Señor.

a. Juan 14.13

b. Juan 15.16

c. Juan 16.23

d. 1 Juan 5.14

4. La oración tiene la habilidad de derribar las fortalezas, y abre los corazones y las mentes para recibir al Señor.

a. 2 Co. 10.3-5

b. Mt. 26.41

c.   Lucas 21.36

       d.   Col. 4.2

       e.   1 Pe. 4.7

    5.   Solamente Dios atrae hacia Él a hombres, mujeres, niños y niñas.

       a.   Juan 12.32

       b.   Juan 6.44

       c.   Juan 6.37-40

       d.   Ro. 9.16-18

    6.   Cierta clase de esclavitud es extraordinariamente difícil de superar.

       a.   Mc. 9.29

       b.   Santiago 5.15

B. ¿Qué clase de oración debe acompañar nuestros esfuerzos evangelísticos?

    1.   Fiel y consistente, 1 Ts. 5.16-18

2. Específica, Ef. 6.18-20

3. Ferviente y poderosa, Ro. 12.12

4. Expectante y llena de convicción, Heb. 11.6

C. Existen muchos métodos de oración para desarrollar un evangelización urbana en forma efectiva.

1. Conciertos de oración

2. Caminatas de oración

3. Vigilias de oración

4. Convocaciones especiales de oración

II. La evangelización urbana está construído sobre la base de entrenar a los discípulos urbanos para ganar almas y compartir su testimonio con otros.

A. ¿Por qué la evangelización personal es tan importante?

1. Es la forma en la cual muchos vienen al Señor.

2. Debemos estar siempre listos para compartir nuestra fe, 1 Pe. 3.15.

3

a. Sal. 119.46

b. Lucas 21.14-15

3. Los redimidos del Señor deben manifestarlo.

a. Sal. 107.2

b. Hechos 5.29

B. El Nuevo Testamento nos provee numerosos ejemplos de testimonios personales.

1. Jesús y la mujer Samaritana, Juan 4.1-42

2. El apóstol Pablo frente a Agripa, Hch. 26

3. Felipe y el etíope eunuco, Hechos 16.24-34

4. Andrés y su hermano Simón, Juan 1.41-45

5. Pedro y Juan ante el Sanedrín, Hechos 4

C. La Regla de Oro: el compartir el testimonio personal debe ser visto como un simple ensayo para otro sobre nuestro peregrinar en la vida el cual nos conduce a tener fe en Cristo y lo que ha sucedido desde el momento en que creímos en Él.

1. Ejemplos más destacados

    a. El testimonio de Pablo ante Agripa, Hechos 26

    b. La historia de Pablo a los gálatas, Gál. 1-2

2. Características del testimonio de Pablo

    a. Personal

    b. Claro

    c. Conciso

    d. Atractivo

D. Implicaciones y sugerencias para desarrollar su propio testimonio

1. Ser bíblico

2. Ser personal

3. Ser claro

4. Ser breve

3

5. Ser real

6. Ser paciente

III. La evangelización urbana se desarrolla cuando los no creyentes están expuestos al evangelio a través de la predicación y el discurso público.

A. ¿Por qué la evangelización pública es tan importante?

1. El ejemplo de la evangelización pública domina las Escrituras (ej., Hechos capítulos 2, 4, 6, 10 etc.).

2. Millones han respondido a Jesucristo a través de la evangelización en sitios públicos: el tiempo evidenció la efectividad.

3. La evangelización pública puede ser ventajosa para aquellos que poseen el don de evangelización.

a. Ef. 4.11

b. 2 Ti. 4.5

4. Los miembros de la asamblea de creyentes pueden invitar a sus amigos y familiares a escuchar las Buenas Nuevas.

5. Podemos ir donde está la gente y compartir con ellos Las Buenas Nuevas (el énfasis está en "Ir").

a. Mt. 28.19-20

b. Mc. 16.15-16

c. Hechos 1.8

B. El don de evangelización: la obra de los miembros en la evangelización versus la obra del evangelista

1. Cada cristiano debe compartir su fe, pero Dios ha dado a algunos el don de la evangelización.

2. Ningún modelo es efectivo cuando se ignora la importancia de quienes son evangelistas en la Iglesia.

3. El reconocimiento de los dones no es válido si no se estimula al creyente común y corriente a compartir su testimonio personal con los perdidos.

C. Principios para la evangelización pública

1. Las Buenas Nuevas enfatizan la obra de Dios en la historia, 1 Co. 15.1-4.

2. Dios ha escogido de lo vil y menospreciado para predicar las Buenas Nuevas a los perdidos, 1 Co. 1.17-18.

3. El mensaje debe ser contextualizado para que sea entendido por la audiencia, 1 Co. 9.19-22.

3

4. El antagonismo espiritual es evidente en cada presentación del evangelio, 2 Co. 4.3-4.

5. El Espíritu Santo debe equipar a los mensajeros y simultáneamente traer luz a los corazones y a las mentes de los que escuchan.

   a. 1 Co. 2.14

   b. 1 Juan 2.27

   c. 1 Juan 5.20

6. El estar listo a nivel espiritual determina la respuesta del que escucha, no depende de los métodos o las técnicas, Mateo 13.

D. Consejo práctico para la evangelización pública

   1. Convocar intercesores para enseñarles las verdaderas bases de la oración.

   2. Siéntase libre e innovador, pero permanezca sensible a la cultura receptora.

   3. Sea organizado; supervise toda la mecánica del evento y la reunión, debe estar todo bien diagramado y planificado.

   4. Enfóquese claramente en Cristo en cada predicación.

   5. Haga una lista de los obreros espirituales para recoger la cosecha.

6. Haga que el evangelio sea claro.

7. Debe estar preparado para los que buscan y responden al llamado de Dios.

8. Haga una lista con los que decidieron seguir a Cristo y anote sus necesidades (para hacerles un seguimiento).

IV. A través de los *oikos*

El evangelio según la narrativa del NT fue diseminado a través de la gente que compartió las Buenas Nuevas en forma natural en el contexto de los hogares donde vivían (ej. Mc. 5.19; Lc. 19.9; Juan 4.54; 1.14-15; etc.). Cornelio representa un verdadero ejemplo de cómo el evangelio se diseminó a través del testimonio y de la conexión que los familiares y amigos tenían con los oikos en Roma.

A. La dimensión de los *oikos* (círculo, red, interconexiones)

1. *Parentescos en común* (inmediatos, lejanos o adoptados como miembros de la familia)

2. *Conocidos y amigos* (amigos, vecinos, aquellos que comparten las experiencias en común, intereses)

3. *Asociados* (relaciones de trabajo y negocios, intereses especiales, recreación, afinidades étnicas o culturales, alianzas económicas o de tipo político)

B. ¿Por qué *la evangelización oikos* es importante para el ministerio urbano?

1. Es bíblico. Jesús y los apóstoles ministraron de esa forma; diseminaron el evangelio de forma natural a través de las relaciones en los grupos (un acercamiento que históricamente ha dado frutos).

Un hogar contenía 4 generaciones, incluía hombres, mujeres casadas, hijas solteras, esclavos de ambos sexos, personas sin ciudadanía y residentes extranjeros.
~ Hans Wolff.
Anthology of the Old Testament.

3

a. Andrés y sus hermanos, Juan 1.40-42

b. El carcelero de Filipos, Hechos 16.30-33

c. Cornelio, Hechos 10.24

2. Más natural y menos amenazador para compartir las Buenas Nuevas entre la gente (sin llamados a secas, éste es un estilo de evangelización amigable)

3. Recepción de los miembros de los *oikos* y su círculo de amigos (construir alrededor de los testimonios, compromisos, procedencia y preocupaciones por los miembros)

4. La diferencia de credibilidad de los que están "afuera" se vuelve irrelevante para los miembros de los *oikos*

5. Expande y clarifica el lenguaje misionero tradicional sobre "grupo de gente" o "población objetivo", y lo lleva a otras agrupaciones únicas de gente

6. Permite la rápida comprensión del evangelio al estar en grupo, y es más rápido que otras circunstancias

7. Permite que el seguimiento de los nuevos cristianos sea menos estresante, extraño o impersonal

8. Permite que las familias sean alcanzadas

9. Le da al Espíritu Santo la oportunidad de tomar ventaja en cualquier relación en los *oikos* como un punto de partida para un gran ministerio

C. Implicaciones de los *oikos* para la evangelización urbana

1. Piense en toda la red de contactos, no sólo en los individuos que está ministrando en el barrio.

2. Inicie con las relaciones y los contactos que Dios le provee.

3. Cuando desee alcanzar nuevos grupos, realice un estudio demográfico.

4. Cuente inmediatamente con la ayuda de los nuevos creyentes como "apóstoles" de sus oikos (ej., Andrés a Pedro [Juan 1], la mujer Samaritana a su pueblo [Juan 4]).

5. Busque formas de extender las relaciones a un nivel más profundo en el *oikos*.

6. Capacite a los creyentes fieles para que compartan su fe con otros dentro de su contexto; ore para que el Espíritu les llene de su poder, Hechos 16.

Conclusión

» La evangelización urbana involucra programas consistentes y una oración intercesora prevaleciente a favor de los que comparten la Palabra y los que escuchan las Buenas Nuevas.

» La evangelización efectiva prepara al cristiano para ganar almas al compartir su testimonio personal.

» Predicar en público para alcanzar las almas debe ser un elemento importante en la evangelización urbana y en el ministerio hacia los perdidos.

» Toda una red de amigos y conocidos puede ser alcanzada a través de la evangelización enfocada e impregnada de oración, utilizando las diversas redes hogareñas o el *oikos* individual de cada creyente en su propia esfera de influencia.

3

Las siguientes preguntas tienen el propósito de ayudarle a repasar lo visto en el segundo segmento del video. El énfasis que queremos dar es el de compartir las Buenas Nuevas en forma verbal, enfocándonos especialmente en la necesidad de la oración, tanto para la evangelización en privado como en público, atendiendo las redes individuales o los oikos de aquellos con quienes compartimos las Buenas Nuevas. Sea claro y conciso en sus respuestas, y en lo posible ¡use las Escrituras!

1. ¿Por qué la oración es un elemento tan importante en la evangelización urbana? ¿Qué características de la oración son cruciales para alcanzar una ciudad?

2. ¿Cuáles son algunas de las formas específicas en las que podemos prepararnos para la evangelización urbana a través de una oración estructurada y enfocada?

3. Compartir nuestro testimonio es importante para la evangelización. ¿Qué elementos están involucrados en el testimonio que tiene como objetivo ganar almas?

4. Mencione dos pasajes del Nuevo Testamento donde el testimonio personal se utiliza para evangelizar a una persona o un grupo pequeño. ¿Qué aprendimos de estos ejemplos con respecto a ganar almas?

5. ¿Cuál es la *regla de oro* para compartir su testimonio personal, y cómo se prepara para hacerlo?

6. ¿Qué elementos deben de estar incluidos en un testimonio personal, claro y bíblico de la fe en Cristo Jesús?

7. Escriba su testimonio. ¿Puede contar su testimonio de fe con las Escrituras en 3 minutos o menos? Escriba la versión que le permita hacerlo.

8. ¿Por qué la evangelización pública es tan importante para compartir las Buenas Nuevas? Dé por lo menos cuatro razones bíblicas.

9. ¿Cuál es la diferencia entre tener el *don* de evangelización y realizar *la obra de evangelista*? ¿Por qué debemos pedir a Dios que nos provea y nos rodee de aquellos que tienen el *don de evangelización* además de proveernos con el *celo para evangelizar*?

10. ¿Qué es un *oikos*, y por qué este concepto es tan importante para la evangelización urbana?

11. ¿Qué influencia tiene el *oikos* en nuestra visión de ganar las comunidades urbanas con el evangelio de Cristo?

CONEXIÓN

Resumen de conceptos importantes

Esta lección se enfoca en el carácter y los medios de comunicación más efectivos para compartir las Buenas Nuevas en las comunidades urbanas. Un plan de evangelización o de alcance, llevado a cabo por discípulos con un buen testimonio, los cuales puedan compartir la fe tanto en privado como en público con poder y claridad, verá grandes resultados para la gloria del Señor. Después de todo, todos los frutos provienen de Dios, (1 Co. 3.7 - Así que ni el que planta es algo, ni el que riega, sino Dios, que da el crecimiento). Lo mejor que podemos hacer es ser vasos para honra, los cuales son usados por el Espíritu Santo cuándo y dónde Él procura proclamar las Buenas Nuevas de Dios en nuestras comunidades. Algunas de las ideas más importantes incluyen:

- *Nuestro estilo de vida y conducta deben coincidir con nuestras palabras y testimonio,* a medida que compartimos las Buenas Nuevas en las comunidades urbanas.

- La evangelización no consiste únicamente en lo *que decimos* sino también en lo que somos y lo *que hacemos.* La credibilidad que necesitamos para hablar persuasivamente de nuestro Señor Jesús en nuestras comunidades debe basarse en un carácter sólido y de espiritualidad genuina.

- Evangelizar es *vivir una vida que refleje la belleza del Señor,* es decir, siendo el tipo de persona cuya vida comunica el poder de Dios junto con nuestras palabras y proclamaciones.

- *Probamos nuestra fidelidad en el testimonio por nuestra relación* con Dios, con nuestra familia y con los de afuera.

- El testimonio creíble que sirve como una base sólida para testificar de Cristo es *una fe vivida, reflejada por medio del celo hacia las buenas obras,* especialmente a favor de los pobres y los más vulnerables.

- La evangelización urbano implica establecer programas de *consistencia y oración intercesora,* para quienes comparten y escuchan las Buenas Nuevas del evangelio.

- La evangelización efectiva *entrena al cristiano para ganar almas* utilizando su testimonio personal.

3

⌁ *El predicar en público y los eventos evangelísticos* deben ser un elemento crucial en toda evangelización urbana y ministerio hacia los perdidos.

⌁ *Toda una red de amigos y conocidos* puede ser alcanzada a través de la evangelización enfocada e impregnada con oración, a través de las diversas redes hogareñas o del *oikos* individual de cada creyente en su propia esfera de influencia.

Discuta con sus compañeros las preguntas que han surgido con respecto a las formas más creíbles de comunicar las Buenas Nuevas en las comunidades urbanas. Seguramente se ha dado cuenta que la evangelización no puede ser reducida a técnicas y métodos; la *evangelización,* a la larga, es el llamado y la preparación de *evangelistas* los cuales representarán al Señor y el mensaje del Reino. Tal vez, considerando estas ideas, el Señor por medio del Espíritu Santo ha hablado a su corazón acerca de algunos aspectos que quiere que comience a practicar en su vida y ministerio. ¿Qué preguntas tiene acerca de su vida y ministerio? Es posible que algunas de las preguntas a continuación le ayuden a formular las suyas de manera más específica.

Aplicación del estudiante

* ¿Qué clase de testimonio tengo actualmente en mi familia, entre los creyentes y con los que aún no conocen del Señor?

* ¿Existen áreas en mi vida personal que me descalifican para representar al Señor? ¿Qué dice Dios con respecto a estas áreas?

* ¿Estoy preparado(a) para compartir mi testimonio personal en forma individual o privada con otros? ¿Cómo debo preparar mi testimonio, usando las Escrituras y mi caminar personal con Dios?

* ¿He dado evidencias de poseer el *don de evangelización*? ¿A quién podré preguntar que pueda confirmar mis preguntas sobre mis dones evangelísticos (los miembros creyentes de mi familia, mi pequeño grupo, mi pastor, otros)?

* ¿Cuál es mi entendimiento con respecto de alcanzar mi *oikos* con el evangelio? ¿Quiénes son los miembros de mi familia, mis amigos, y mis conocidos, por quienes deseo empezar a orar para compartirles las Buenas Nuevas?

3

* Como encargado de entrenar a otros para el ministerio, ¿cuáles son las formas en las que puedo preparar a aquellos que están bajo mi cargo, utilizando sus aptitudes y dones para compartir las Buenas Nuevas con sus propias redes de *oikos*? ¿Cuál es el primer paso que necesitan dar para un mejor impacto evangelístico?

Casos de estudio

Ganando a los mayores a través de los más jóvenes

1 La visión del ministerio de los niños en la iglesia es sencilla: presentar el evangelio a cada niño de la iglesia y a su entorno. Sabiendo que cada niño es parte de un gran *oikos* de parientes, amigos y conocidos, debemos desafiar al ministerio de niños para que se extienda y alcance a otros, sirviendo así de *trampolín* hacia una piscina de nuevas relaciones, en vez de enfocarnos únicamente en algunos niños.

Primero lo primero

2 Una joven que tenía una personalidad muy agradable y que además estaba dentro de las alumnas de mayor reputación en la secundaria, se convirtió a Cristo recientemente. Al ser tan popular y tan hábil como comunicadora, y estar totalmente dispuesta a dirigir la evangelización del grupo juvenil, parecería ser el candidato natural para encargarse del próximo evento evangelístico en la secundaria. Esta joven es una cristiana recién convertida, sin embargo, aún no tiene claro el significado de su nueva naturaleza, y no posee un caminar del todo cristiano, aún batalla con algunos "asuntos pendientes" de su vida pasada. Por consiguiente, surge una gran discusión sobre si puede o no ser "la líder" del ministerio para alcanzar a los jóvenes en la secundaria; si lo fuese, la asistencia sería muy grande, (por su popularidad). Otros opinan que es demasiado pronto para colocarla en una posición de liderazgo, antes debe tener la oportunidad de crecer en Cristo. ¿Qué consejo daría al grupo de evangelización sobre nombrarla o no como líder?

El que tiene oídos que oiga

3 Se ha iniciado una discusión entre dos grupos de la iglesia. Un grupo está convencido que la práctica histórica de la iglesia en los últimos 25 años, demuestra que la manera más efectiva para la evangelización es ser tajante y duro desde el púlpito. Otros han sido persuadidos por el modelo de mostrar "sensibilidad hacia el interesado". Los modelos para alcanzar almas sugieren que podemos atraer más personas a través de nuestro trabajo, amor y caridad, explicando luego los detalles del evangelio, pero es necesario que sepan que nos preocupamos por ellos. El pastor debe determinar cuál de los "estilos" debe adoptar la iglesia. ¿Cómo solucionaría esta situación entre los dos grupos de la iglesia?

La evangelización no es únicamente lo que *decimos*, sino lo que *somos* y lo que *hacemos* (la evangelización debe tener sus raíces en un sólido y genuino sentido espiritual). Demostramos ser buenos administradores de la fe cuando respaldamos nuestro testimonio con un creíble caminar con Dios, una relación de amor con nuestras familias, además de una sólida reputación con los no creyentes. Esto es posible a través de celo para las buenas obras, especialmente a favor de aquellos que son pobres y vulnerables. Un evangelista de esta talla se prepara a través de la oración intercesora que prevalece, gana almas a nivel personal y de la predicación pública, y se enfoca en el concepto de la red hogareña u *oikos* en la evangelización urbana.

Reafirmación de la tesis de la lección

Si está interesado en profundizar en algunas de las ideas de *Evangelización: Métodos para Alcanzar a la Comunidad Urbana*, le recomendamos estos libros (algunos de estos t tulos pueden estar disponibles en español, o revise nuestro portal en la red cibernética para recursos adicionales en español):

Recursos y bibliografía

Arn, Win and Charles Arn. *The Master's Plan for Making Disciples*. 2nd Ed. Grand Rapids: Baker Book House, 1998.

Snyder, Howard A. *Community of the King*. Downers Grove: InterVarsity Press, 1977.

------. *Liberating the Church: The Ecology of Church and Kingdom*. Downers Grove: InterVarsity Press, 1983.

3

Conexiones ministeriales

El pensar en la verdad de las Escrituras a través de la interconexión con su vida y ministerio es fundamental para que la misma cobre vida en usted. Medite acerca de los puntos centrales en esta lección, y pregúntele al Señor cómo desea cambiar o alterar su trabajo en el ministerio según las verdades aprendidas. El Espíritu Santo nos da libertad y creatividad (2 Co. 3.17) si lo escuchamos detenidamente, Él le guiará a que aplique la Palabra de Dios para obtener más madurez en su vida personal y situación ministerial. Su voz es viva y personal; Él le llevará a estas verdades por métodos distintos en su ministerio. Aparte un tiempo esta semana para estar en Su presencia y escuchar cómo quiere dirigirle a una buena aplicación de estas enseñanzas sobre el método evangelístico, y responda en forma práctica a lo que el Espíritu le diga. Por supuesto, todo cuanto le revele esta semana es necesario que lo comparta con sus compañeros de clase.

Consejería y oración

Cuando el Espíritu Santo le muestre situaciones en particular a través de los estudios hechos o por medio de los distintos debates en grupo, confirme tanto usted como los que están a su alrededor lo revelado en oración. Encuentre un compañero de oración con quien pueda compartir sus cargas y puedan elevar ambos sus peticiones a Dios. Por supuesto, su mentor está a disposición para escucharle, además los líderes estarán para cualquier dificultad o pregunta que surja con respecto a este estudio. Sea abierto a lo que Dios quiera decirle y permítale guiarle como Él lo determine.

ASIGNATURAS

Versículos para memorizar

2 Timoteo 2.24-26

Lectura del texto asignado

Para prepararse para la clase, por favor visite www.tumi.org/libros para encontrar las lecturas asignadas de la próxima semana o pregunte a su mentor.

Otras asignaturas o tareas

Debe estar preparado para sus otras tareas. Como es costumbre, deberá tener su resumen sobre las lecturas asignadas para esta semana. *También deberá haber seleccionado el texto para su proyecto exegético y extraído una enseñanza práctica para su proyecto ministerial. No tarde en elegirlo; retrasará su trabajo y acortará su tiempo en estas importantes tareas.*

3

Hemos completado la tercera lección de este módulo, enfocándonos en la idea que la evangelización comienza con nuestra propia calidad de vida y testimonio, nuestro caminar delante de Dios, de nuestra familia, vecinos y comunidad. Hemos visto que la oración intercesora, la evangelización a nivel personal y pública, además de concentrarse en los grupos o redes familiares o los *oikos,* pueden marcar una diferencia en la medida que busquemos comunicar las Buenas Nuevas de Cristo en nuestras comunidades.

En nuestra última lección nos concentraremos en *el seguimiento e incorporación de los nuevos creyentes a nuestra congregación*, es decir, cómo darles a los nuevos convertidos un alimento especial y un cuidado que pueda conservar el fruto de nuestra evangelización, afirmando a estos nuevos hermanos y hermanas en su madurez espiritual en Cristo.

**Esperamos
ansiosamente
la próxima lección**

Nombre_____

Fecha_____

Por cada lectura asignada, escriba un resumen corto (uno o dos párrafos) del punto central del autor (si se le pide otro material o lee material adicional, use el dorso de esta hoja).

Lectura 1

Título y autor: _____ páginas _____

Lectura 2

Título y autor: _____ páginas _____

LECCIÓN 4

Seguimiento e Incorporación

Objetivos de la lección

¡Bienvenido, en el poderoso nombre de Jesucristo! Después de leer, estudiar y discutir estos materiales, podrá:

- Defender la idea más importante para alcanzar el éxito en la evangelización, la cual es hacer un seguimiento de los nuevos cristianos, incorporándolos en una asamblea local de creyentes lo antes posible.

- Proveer una definición bíblica de Seguimiento e Incorporación de los nuevos creyentes en la Iglesia, cómo "incorporar nuevos conversos en la familia de Dios para que sean equipados usando sus dones para el ministerio".

- Recitar las razones para el seguimiento: el seguimiento de los nuevos creyentes es extremadamente importante, ya que los mismos son vulnerables a los ataques del enemigo, por ende, necesitan ser reorientados en su nueva fe en Cristo, además de un cuidado inmediato por parte de sus padres espirituales como bebés en Cristo.

- Conocer cinco métodos apostólicos de seguimiento: prevalecer en la oración, contacto inmediato y personal con los nuevos creyentes, enviar líderes que animen y estimulen, mantener una correspondencia personal, y designar líderes para su crecimiento.

- Sentar las bases para que éstos se bauticen y obtengan la membresía en un cuerpo local para testificar públicamente acerca de su nueva fe.

Devocional

Eduque a sus hijos en el Señor.

1 Ts. 2.7-12 - Antes fuimos tiernos entre vosotros, como la nodriza que cuida con ternura a sus propios hijos. [8] Tan grande es nuestro afecto por vosotros, que hubiéramos querido entregaros no sólo el evangelio de Dios, sino también nuestras propias vidas; porque habéis llegado a sernos muy queridos. [9] Porque os acordáis, hermanos, de nuestro trabajo y fatiga; cómo trabajando de noche y de día, para no ser gravosos a ninguno de vosotros, os predicamos el evangelio de Dios. [10] Vosotros sois testigos, y Dios también, de cuán santa, justa e irreprensiblemente nos comportamos con vosotros los creyentes; [11] así como también sabéis de qué modo, como el padre a sus hijos, exhortábamos y consolábamos a cada uno de vosotros, [12] y os encargábamos que anduvieseis como es digno de Dios, que os llamó a su reino y gloria.

La Biblia es un libro de analogías y metáforas, las cuales presentan de antemano la verdad, y nos aclaran ciertos significados a través de imágenes concretas. Una de las imágenes más gráficas en el ministerio es ver a quienes llevamos al Señor como si fueran nuestros hijos espirituales, nuestra simiente, nuestros recién nacidos. El pensar así de los nuevos creyentes nos provee un claro entendimiento de la naturaleza de nuestro ministerio. Si la evangelización es la concepción y el nacimiento, entonces el seguimiento y la incorporación al cuerpo es la educación que el nuevo creyente recibe en el Señor. Sería muy insensato que por el placer de procrear muchos hijos descuidemos la educación y crecimiento de los ya nacidos. Ser padre sólo es producto de la genética, pero se requiere compromiso y amor para ser un verdadero padre, y paciencia y perseverancia para ser un buen abuelo. Pablo tuvo la visión de ser un padre que educaba a los hijos de Dios, alimentándolos, disciplinándolos, fortaleciéndolos y nutriéndolos. Para los jóvenes de Tesalónica Pablo era como un padre que exhortaba y estimulaba a sus hijos. ¡Qué hermosa figura y muestra de afecto y cuidado! A eso nos debe conducir la evangelización. Si se evangeliza y luego no se alimenta, simplemente se está amando el placer de la concepción y se deja atrás la responsabilidad que tenemos con el recién nacido, su infancia y niñez. Ningún método evangelístico es bueno si se ignoran las responsabilidades de velar por el crecimiento espiritual de los hijos de Dios. Si se deleita con el nacimiento de alguien, deberá responsabilizarse por su crecimiento, no existe otra fórmula.

Luego de recitar y/o cantar El Credo Niceno (localizado en el Apéndice), haga la siguiente oración:

El Credo Niceno y oración

Dios fiel, tú formaste la iglesia de lo menospreciado de la tierra y nos mostraste misericordia para que proclamemos tu salvación a todos. Fortalece a aquellos que escoges hoy, que sean fieles y soporten las pruebas a través de la victoria obtenida por Cristo en la cruz.

~ Iglesia Presbiteriana (USA). **Book of Common Worship**. Louisville, KY: Westminister/John Knox Press, 1993. p. 103.

Prueba

Deje las notas a un lado, haga un repaso de sus pensamientos y reflexiones y tome la prueba de la lección 3: *Métodos para Alcanzar las Comunidades Urbanas.*

Revisión de los versículos memorizados

Repase con un compañero, escriba o recite el texto asignado para memorizar, 2 Timoteo 2.24-26.

Entrega de tareas

Entregue el resumen de la lectura asignada la semana anterior, es decir, su breve respuesta y explicación sobre los puntos de vista del autor (Reporte de lectura).

En un super papel

1 Al visitar la prisión de la región y compartir al Señor con los presos, logra apreciar a un hermano con un gran don de evangelización, el cual trae a muchos a los pies de Cristo por medio del evangelio. Sin embargo, no parece querer efectuar un seguimiento para incorporar a los nuevos conversos al cuerpo de creyentes. Cuando le mencionaron la importante omisión que hacía con respecto a este hecho, no manifestó preocupación por la fe de los nuevos creyentes en Cristo, y sugirió que su don como *evangelista,* es el de asegurar la conversión y que otros con dones diferentes deben asegurar el crecimiento y la fortaleza de cada uno de ellos. ¿Nota algo equivocado en la concepción evangelística manifestada por el hermano, el cual no cree en el seguimiento del nuevo creyente como una manifestación de un sano crecimiento espiritual?

"Lo haré después"

2 Un amado hermano ha aceptado al Señor luego de muchos meses de oración y de enseñanza de las Escrituras. Se trata de una persona con un pasado difícil, lo cual se reflejaba en su desconfianza, pero el Señor preparó su corazón y desde entonces ha tenido hambre por las cosas de Dios. Sin embargo, rehúsa congregarse o compartir las Buenas Nuevas con otros cristianos. Él entiende su nueva fe como una decisión privada y personal, su religión personal, la cual no tiene que ver con lo que otros piensan, dicen o hacen. Este hombre manifiesta que ha tenido malas experiencias en la iglesia anteriormente y que además no está ansioso por bautizarse o congregarse. Él dice, "Reunirme contigo me resulta grato, pero no creo que deba hacerlo con todos los

4

hermanos. No creo que deba hacerlo por ahora . . . lo haré después". ¿Cómo respondería a esta opinión sobre la iglesia, la hermandad, el bautismo y la membresía?

"Maldición, todos son corruptos"

Recientemente, una familia aceptó a Cristo en uno de los picnics organizados por la iglesia. En una visita de seguimiento, los Pérez manifestaron que deseaban ir a la iglesia y que además estaban muy contentos con el crecimiento que habían alcanzado en Cristo. El señor Pérez había vivido una mala experiencia con un pastor, por lo que se convirtió en un escéptico para con los líderes. Él los veía a todos como corruptos y altivos, los cuales estaban en el ministerio para ganancia propia y para gloriarse a sí mismos, entre otras cosas. Los puntos de vista de este hermano salieron a la luz cuando asistió a las clases de membresía. Esta semana la lección se titula "Nuestra necesidad de Cuidado Pastoral" y habla acerca de la necesidad de que todos los creyentes se mantengan bajo el cuidado pastoral. A partir del primer día de su conversión, los Pérez se mostraron nerviosos y expresaron muchas dudas, negando la idea de someterse al liderazgo pastoral, el cual no lo consideraban importante para su fe personal. ¿Cómo se acercaría a los Pérez para ayudarles a entender que como creyentes necesitan del cuidado pastoral?

Seguimiento e Incorporación

Segmento 1: Seguimiento personal de los creyentes

Rev. Dr. Don L. Davis

CONTENIDO

La evangelización y la guerra espiritual, como consecuencia de la conversión de los nuevos creyentes a Cristo, requieren de un programa sólido y responsable de seguimiento, para incorporarlos a una asamblea de creyentes que tenga una sana doctrina, y así crezcan, se bauticen y formen parte del cuerpo de Cristo.

Resumen introductorio al segmento 1

Nuestro objetivo para este segmento, *Seguimiento personal de los creyentes*, es ver que:

- La clave para una evangelización exitosa es el seguimiento a los nuevos convertidos, para incorporarlos rápidamente a una asamblea local de creyentes.

• El seguimiento a los nuevos creyentes en Cristo consiste en "incorporar a los nuevos convertidos a la familia de Dios para que crezcan en Cristo y usen los dones para el ministerio", es decir, para que maduren y den fruto.

• Los nuevos creyentes deben tener un rápido seguimiento, ya que son vulnerables a los ataques del enemigo, necesitan ser reorientados en su nueva fe en Cristo y recibir cuidado como recién nacidos en Cristo.

• El nuevo testamento provee cinco formas apostólicas para el seguimiento de los nuevos creyentes, las cuales no han perdido vigencia. Podemos interceder por ellos en oración, proveer un contacto personal, enviar representantes para estimularlos, mantener una correspondencia con regularidad a nivel personal, y asegurarnos que tengan líderes espirituales sólidos que velan por ellos.

Video y bosquejo segmento 1

I. ¿Cuál es el concepto de "seguimiento"?

Definición: "Incorporar a los nuevos convertidos a la familia de Dios para que crezcan en Cristo y usen los dones para el ministerio"

A. "Incorporar a los nuevos convertidos a la familia de Dios"

    1. Los nuevos creyentes deben ser bienvenidos a la familia de Dios, Ro. 15.5-7.

    2. La meta de la evangelización es generar un compañerismo: con Dios en Cristo y con los otros miembros, 1 Juan 1.1-3.

B. "Para que crezcan en Cristo"

    1. La Gran Comisión es hacer discípulos, no conversos, Mt. 28.19-20.

4

2. El crecimiento cristiano se da a través de la vida del cuerpo, no sólo por actividades individuales, Ro. 12.4-6.

3. El cristianismo tiene por meta la unión con Cristo.

    a.   Ro. 13.14

    b.   1 Co. 15.49

    c.   2 Co. 3.18

    d.   Ef. 4.24

    e.   1 Juan 3.2

4. La *edificación* es la meta más importante del seguimiento: los nuevos creyentes son llamados a vivir la vida cristiana en comunidad para que puedan madurar en Cristo

    a.   1 Co. 8.1

    b.   1 Co. 14.12

    c.   Ef. 4.29

    d.   1 Ts. 5.11

C. "Y usen los dones para el ministerio"

1. A cada cristiano le es prestado uno o más dones especiales para usarlos en el ministerio, 1 Co. 12.4-7.

2. Cada miembro del cuerpo de Cristo tiene un papel que cumplir en el cuerpo, 1 Pe. 4.10-11.

3. Dios desea que cada cristiano dé fruto y contribuya al cumplimiento de la Gran Comisión en el *contexto de la asamblea local de creyentes.*

    a. El gran mandamiento: los nuevos cristianos dan fruto a medida que conocen del amor de Dios en sus corazones, mentes, almas, y aman a su projimo como a sí mismos, Mt. 22.37 (comp. con el nuevo mandamiento en Juan 13.34-35).

    b. La Gran Comisión: los nuevos cristianos deben dar frutos en la medida que aprenden a usar sus dones para la evangelización, Mt. 28.19-20.

4. Los *frutos* representan la segunda meta del seguimiento: los nuevos creyentes fueron alcanzados para trabajar para Dios, dar amor y servicio, además de ser testigos del evangelio

    a. Juan 15.16

    b. Juan 15.8

    c. Ro. 1.13

    d. 1 Co. 3.6-7

II. ¿Por qué el seguimiento es necesario en la evangelización?

A. Los nuevos convertidos son vulnerables a los ataques del enemigo, por ende necesitan protección, Hechos 20.28-31.

    1. Analice la parábola del sembrador, Mt. 13

        a. La interferencia directa del diablo

        b. Los persistentes afanes de este mundo

        c. La raíces poco profundas en la fe de los nuevos creyentes

        d. Inclinación a cometer errores y ser engañados

    2. Pablo estaba muy preocupado acerca de la fe de los nuevos creyentes.

        a. De los tesalonicenses, 1 Ts. 3.1-5

        b. De los gálatas, Gál. 3.1-4

        c. De los filipenses, Fil. 1.23-26

4

B. Los nuevos conversos necesitan ser reorientados, tan pronto como sea posible, en su nueva identidad en Cristo, acompañados de la familia de Dios.

1. La necesidad de un lugar en el cuerpo; ningún miembro puede funcionar como una unidad apartada, 1 Co. 12.14-20.

2. Los nuevos creyentes deben de ser reorientados hacia la voluntad de Dios: instrucción básica doctrinal, Heb. 5.11-14.

3. Necesidad de cultivar un nuevo y fuerte sentido de pertenencia a la familia de Dios, Juan 3.1-2

4. Preocupación por la protección y seguridad del rebaño (los depredadores buscan a las presas jóvenes, enfermas o débiles), 1 Pe. 5.8-9

5. Los nuevos cristianos deben ser presentados a sus hermanas y hermanos, formando nuevas y duraderas amistades con otros dentro del cuerpo de Cristo.

a. Gál. 6.2

b. Gál. 5.13-14

C. Los nuevos convertidos necesitan un cuidado paterno: instrucciones, nutrición y alimentación, 1 Ts. 2.7.

1. Los nuevos bebés en la fe necesitan la leche pura de la Palabra de Dios.

4

a.   1 Pe. 2.2

b.   Sal. 19.7-10

c.   1 Co. 3.2

2.   La instrucción básica en la dinámica de la vida cristiana, Ef. 4.20-24

3.   Ternura, amor de los hermanos comprometidos, 2 Co. 12.14

4.   La autoridad de Dios provee servicio y cuidado a los jóvenes creyentes en su desarrollo, Heb. 13.17.

III. Métodos bíblicos de seguimiento: La experiencia de los apóstoles

A.   Primer método: prevalecer en oración, intercediendo por los nuevos conversos, Ro. 1.9-12

1.   La variedad de intercesiones revela un conocimiento profundo de los convertidos

2.   Orando para adquirir entendimiento espiritual e iluminación, Ef. 1.15ff.

3.   Orando para madurar (edificación) e impactar (frutos) Col. 1.9-10

B.   Segundo método: mantener el contacto y cuidado personal, Hechos 20.18-21, 31

1. Adopción de los niños espirituales, 1 Co. 4.15-16

2. Asuma la responsabilidad pastoral en lo que respecta a la sanidad de los conversos

   a. 2 Co. 11.28

   b. 3 Juan 1.3-4

3. Cultive las amistades espirituales, Filemón 1.7

C. Tercer método: enviar representantes con el propósito de estimularlos y exhortarlos, 2 Co. 8.16-23

1. Proveer instrucción y dirección, 1 Ts. 3.1-3

2. Distribuir mensajes de apoyo y exhortación, 1 Co. 16.10-11

3. Conocer su estado y condición

   a. Ef. 6.21

   b. Fil. 2.19-24

4

D.　Cuarto método: mantener correspondencia personal, 1 Juan 5.11-13

　　1.　Nuestras epístolas como material de seguimiento

　　2.　Expresar nuestras metas, entender a los creyentes en sus contextos particulares

　　　　a.　1 Pe. 5.12

　　　　b.　1 Juan 2.1

　　3.　Nuestras cartas nos proveen de un material para otros seguimientos

E.　Quinto método: designar líderes Tito 1.4-5

　　1.　Conectar a los creyentes con las iglesias y sus respectivos pastores, es el mejor método de seguimiento

　　　　a.　Hechos 14.23

　　　　b.　2 Ti. 2.2

　　2.　Cualquiera sea el método usado, la oportunidad es mínima si no se incorporan a un cuerpo cristiano de sana doctrina

　　　　a.　1 Co. 12.21-27

b.   Ef. 4.11-16

Conclusión

»   La clave del éxito evangelístico en la ciudad está en el seguimiento a los nuevos cristianos, incorporándolos a una asamblea local de creyentes tan pronto como sea posible.

»   El seguimiento a los nuevos creyentes consiste en "incorporarlos a la familia de Dios para que crezcan en Cristo y usen sus dones para el ministerio", es decir, para que *maduren* (crezcan en Cristo) y *den fruto* (se reproduzcan en Cristo al hacer discípulos).

»   El seguimiento a los nuevos convertidos es esencial, ya que los mismos son vulnerables a los ataques del enemigo, por lo cual necesitan ser reorientados en su nueva fe y recibir atención de sus padres espirituales como recién nacidos en Cristo.

»   El Nuevo Testamento provee cinco formas apostólicas para el seguimiento de los nuevos convertidos a Cristo, todas éstas están vigentes hoy día. Podemos prevalecer en oración intercesora por ellos, estar en contacto personal, enviar representantes con el propósito de estimularlos y exhortarlos, mantener correspondencia con regularidad, y asegurarnos que tengan líderes espirituales sólidos que velen por ellos.

4

Seguimiento 1

Preguntas y reflexión acerca del contenido del video

Por favor, tome su tiempo para contestar éstas y otras preguntas acerca del seguimiento e incorporación de los nuevos creyentes en Cristo. Nada es más importante en la evangelización efectiva como el proveer para el bienestar y la nutrición de aquellos que responden con fe ante el evangelio, sea de forma pública o privada. Sea claro y conciso en sus respuestas y en lo posible ¡base las mismas en las Escrituras!

1.   ¿Cuál es el significado del seguimiento? ¿Cómo se relaciona el seguimiento con la idea de incorporar a los nuevos convertidos a la iglesia tan pronto como sea posible?

2. ¿Cómo es que la Gran Comisión (Mt. 28.18-20) implica algún tipo de seguimiento al evangelizar a los perdidos? ¿Por qué la evangelización que no provee un seguimiento a la luz del la Gran Comisión es inaceptable?

3. ¿Cuál es el significado del término *edificación* y cómo se relaciona este concepto con la idea del seguimiento y las decisiones que tomen los nuevos conversos?

4. ¿Cómo explica que a todos los creyentes se les han dado dones para el beneficio de la Iglesia, con el fin de acercar a los nuevos conversos a la misma tan pronto como sea posible?

5. Mencione por lo menos tres razones por las cuales se debe hacer un seguimiento de los nuevos convertidos de forma inmediata luego de tomar la decisión de arrepentirse y creer en Jesucristo como el Señor resucitado.

6. ¿Por qué es tan importante el cuidado pastoral del nuevo creyente? ¿Es posible que los cristianos prosperen sin ser pastoreados? ¿Por qué sí o por qué no?

7. ¿Qué papel cumple la oración y el contacto inmediato en el seguimiento apostólico de los nuevos convertidos?

8. ¿Por qué los apóstoles enviaron representantes y escribieron cartas a los nuevos convertidos? ¿Cuáles eran sus temores hacia los nuevos convertidos, los cuales motivaron estas acciones?

9. ¿Cómo fue el nombramiento de líderes por los discípulos en cada ciudad para salvaguardar el bienestar de los nuevos convertidos al Señor?

10. ¿Qué lecciones podemos aprender si analizamos la forma en que los apóstoles llevaban a cabo la evangelización?

4

Seguimiento e Incorporación

Segmento 2: Pronta incorporación a la asamblea de creyentes

Rev. Dr. Don L. Davis

Resumen introductorio al segmento 2

Los nuevos creyentes deben de ser bautizados y incorporados como miembros del cuerpo de Cristo tan pronto como sea posible. La evangelización provee una conexión para cada creyente con el cuerpo de discípulos (con una doctrina sana). De esta manera, los nuevos convertidos son instruidos en lo básico, enseñándoles sobre el cuidado pastoral, además de equiparlos para servir como miembros del cuerpo de Cristo.

Nuestro objetivo para este segmento, *Pronta incorporación a la asamblea de creyentes*, es que vea que:

- El bautismo es un importante símbolo inicial de la fe en Jesucristo, el cual debe llevarse a cabo inmediatamente después de profesar la fe en Cristo Jesús.

- La membresía es una forma efectiva de afirmar la alianza con un cuerpo en particular, el cuerpo de Cristo (de esta manera se reafirma la alianza con Cristo).

- Los nuevos creyentes deben de ser instruidos en lo básico: la seguridad de la salvación, el caminar espiritual con Dios, además de la importancia de vivir en comunión con los cristianos.

- El seguimiento enseña a los nuevos conversos la importancia del cuidado pastoral y cómo éste es ejercido en el cuerpo de Cristo.

Video y bosquejo segmento 2

I. Ayudarles a afirmar en público su fe: El bautismo y la membresía

A. El bautismo es el símbolo primario y categórico de la incorporación del creyente a Cristo y a la Iglesia.

1. La obediencia al mandamiento de Cristo (el bautismo es un símbolo de unión y alianza con Cristo)

4

    a.   Ro. 6.3-4

    b.   Mt. 28.19

    c.   1 Pe. 3.21

2.   Ser testigo y dar testimonio ante otros creyentes de su nueva vida (el bautismo como signo de su nueva incorporación al cuerpo de Cristo el cual tiene un propósito y una misión)

    a.   1 Co. 12.13

    b.   Gál. 3.27

3.   Incorporación a la asamblea local (el bautismo como un nexo para la afiliación con la comunidad local de creyentes)

4

B. La membresía (expresa o ambigua) es una manera de afirmar la alianza con el cuerpo de cristianos, 1 Juan 2.19-21.

1.   ¿Por qué es importante?

    a.   Conexión pública con una asamblea

    b.   Reconocimiento de líderes y miembros en la familia de Dios

c.   Adopción formal: la membresía como una identidad espiritual, no sólo como una asociación

  2. ¡Los miembros tienen más opciones que aquellos que únicamente visitan la iglesia!

     a.   Tienen participación abierta en el cuerpo

     b.   Conocen el centro de la vida de la iglesia y pueden tomar decisiones

     c.   Pueden ser parte de los recursos de la iglesia

     d.   Pueden proteger a la iglesia de los "lobos vestidos de ovejas"

II. Instruir a los nuevos cristianos en lo básico (cuidado después de nacer)

4

  A. Aplicar diligentemente las enseñanzas de la Biblia acerca de la seguridad de la salvación, 1 Juan 5.11-13.

    1. La seguridad de la salvación en Jesucristo, Juan 5.24

    2. La seguridad del perdón y de la limpieza a través de la confesión

a.   Col. 1.13

      b.   1 Juan 1.5-2.2

  3. La seguridad de la guía y la victoria a través del Espíritu Santo

      a.   Gál. 5.16

      b.   Ef. 5.18

      c.   Ro. 8.1-18

B. Enseñanzas de la Biblia en cuanto a caminar con Dios (las disciplinas espirituales del cristiano), Ef. 4.20-24.

  1. Alimentarlos con la Palabra de Dios, 2 Ti. 3.16-17

      a.   Escuchar la Palabra de Dios a través de las prédicas, enseñanzas y diferentes lecturas

      b.   Leer la Biblia, Ap. 1.3

      c.   Memorizar las Escrituras, Sal. 119.9-11

      d.   Estudiar la Biblia, 2 Ti. 2.15

      e.   Meditar en las Escrituras, Sal. 1.1-3

2. Orar y ayunar

   a. Luc. 18.1

   b. Luc. 21.36

   c. Ro. 12.12

   d. Efe. 6.18

   e. Col. 4.2

   f. 1 Pe. 4.7

3. Adoración en público y en privado

   a. Sal. 34.1-3

   b. Heb. 13.15

C. Vivir en comunión con los cristianos, Juan 13.34-35; Ro. 12.3-8

1. Ser miembros de una Iglesia, Gál. 3.28

2. Adorar en público: predicar, adorar, celebrar la Santa Cena, Heb. 10.23-25

3. Vivir la vida en amor, santidad y generosidad

    a. 1 Juan 4.7-8

    b. Heb. 12.14

    c. 1 Pe. 1.14-16

4. Hacer buenas obras

    a. Ef. 2.8-10

    b. Tito 2.11-15

5. Compartir la fe con otros

    a. 1 Pe. 3.15

    b. Ro. 1.16-17

III. Enseñar a los nuevos convertidos la importancia del cuidado pastoral

A. Todos los creyentes deben de estar bajo la autoridad pastoral, Heb. 13.17.

    1. Ellos velan para guardarles del mal, Hechos 20.28.

2. Ellos son los modelos de la fe, Heb. 13.7.

3. Ellos tienen el respaldo de Dios en sus tareas, 1 Pe. 5.2-3.

B. La obediencia y honor a los pastores es un mandamiento del Señor

1. Son colaboradores del Señor, 1 Co. 3.9.

2. Debemos mantener sumisión hacia los líderes, 1 Co. 16.16.

3. Honrarlos antes que nada, 1 Ti. 5.17-18.

4. 1 Ts. 5.12-13

C. Beneficios del cuidado pastoral

1. Protección

2. Alimento y nutrición

3. Amor y cuidado tierno

4. Ayuda para encontrar un sitio en el ministerio

4

IV. Equiparlos para funcionar como miembros útiles del cuerpo de Cristo

A. Convertirse en un miembro del cuerpo, 1 Co. 12.13

    1. La importancia del bautismo, Mt. 28.19

        a. Confesión de fe en Cristo

        b. Confesión de lealtad a las enseñanzas de la Iglesia

        c. Confesión de conexión al cuerpo

    2. La importancia de la membresía

B. Cumplir con las tareas como miembro de una familia, 1 Pe. 4.8-11

    1. Llevando las cargas los unos de los otros, Gál. 6.2

    2. Seguir la tradición de los apóstoles, 2 Ts. 3.6

    3. Mantener una buena reputación entre los creyentes

        a. En el hogar, Ef. 5.22-6.5

b.   Entre los santos, Gál. 6.10

c.   En el trabajo, Ef. 6.5-9

d.   En el vecindario, 1 Pe. 3.15; 1 Co. 7.17

e.   En la comunidad, Mt. 5.14-16

4.   Identificarse y asociarse con los creyentes en la congregación

a.   Cristo está con nosotros cuando nos congregamos, Mt. 18.20.

b.   Nos congregarnos como símbolo de la presencia del Espíritu Santo, Hechos 2.42.

C.   Responsabilidades con el cuerpo de Cristo

1.   Congregarse con los creyentes: presencia, Heb. 10.23-25

2.   Dar generosamente para el bienestar de los líderes y los maestros, 2 Co. 8.9

a.   Proveer para la necesidad de los santos, 2 Co. 9.6-8

b.   Proveer para aquellos que enseñan el evangelio, Gál. 6.6

c.   Contribuir para la diseminación del evangelio, Fil. 4.15-17

4

3. Servir unidos en el cuerpo

    a. En servicio, 1 Ts. 4.9-10

    b. En la hospitalidad, Heb. 13.1-3

D. Usando los dones como miembros del cuerpo

    1. Descubriendo los dones del Espíritu, Ro. 12.3-8

        a. Los dones son dados por el Espíritu Santo para beneficio del cuerpo, 1 Co. 12.7-10.

        b. Los dones han sido dados para ser usados; ningún santo debe estar fuera del servicio, Ef. 4.15-16.

        c. Los dones sirven para edificar al cuerpo de Cristo en amor, 1 Pe. 4.10-11.

    2. Enseñar a los nuevos convertidos a usar sus dones y recursos para el beneficio del cuerpo de Cristo, 1 Co. 10.23-24

    3. Contribuir con el testimonio como cuerpo

        a. Sirviendo con nuestros esfuerzos locales para dar testimonio, Fil. 1.27-28

b. Ayudar a la iglesia a alcanzar al mundo para Cristo

(1) Somos llamados a pelear la buena batalla, 1 Ti. 6.12.

(2) Debemos entrenar a los creyentes para que defiendan la fe que ha sido dada por los apóstoles, Judas 1.3.

Conclusión

» El bautismo es un importante símbolo inicial de la fe en Jesucristo, el cual debe llevarse a cabo inmediatamente después de profesar la fe en Cristo Jesús.

» La membresía es una forma efectiva para formar una alianza con el cuerpo de Cristo (además confirma nuestra alianza con Cristo).

» Los nuevos creyentes deben ser instruidos en lo básico: la seguridad de la salvación, el caminar espiritual con Dios, además de vivir en comunión con otros cristianos.

» El seguimiento enseña a los nuevos conversos la importancia del cuidado pastoral, al igual que las funciones de aquellos que trabajan a tiempo completo en el cuerpo de Cristo.

Seguimiento 2

Preguntas y reflexión acerca del contenido del video

Las siguientes preguntas están diseñadas para ayudarle a repasar el material del segundo segmento del video. El seguimiento es un elemento integral dentro de la evangelización bíblica; cuando alguien acepta a Jesús, es nuestra responsabilidad asegurar que sea alimentado, limpiado y protegido, además de que tenga el cuidado amoroso de un padre espiritual. Esto incluye, lo mas pronto posible, el involucramiento del nuevo creyente al cuerpo de Cristo. Sea claro y conciso en sus respuestas y en lo posible ¡base las mismas en las Escrituras!

1. ¿En qué sentido el bautismo es un símbolo primario de haber sido incorporado (*atraído a*) el cuerpo de Cristo? ¿Puede alguien salvarse sin ser bautizado? Explique su respuesta.

2. ¿En qué sentido la membresía en una asamblea local protege a los nuevos creyentes de las malas influencias?

3. ¿Por qué la seguridad de la salvación es parte importante en la doctrina del nuevo creyente? ¿Qué implica esta doctrina?

4

4. ¿Por qué es tan importante instruir a los creyentes en las disciplinas espirituales, incluyendo la adoración en público, estudiar la Biblia, el compañerismo, etc.? ¿Por qué enseñar en privado no es suficiente?

5. ¿Qué enseña la Biblia acerca de los creyentes que están bajo el cuidado pastoral? ¿Qué significa ser sumiso a los líderes?

6. Haga una lista de las bendiciones espirituales que recibe la persona que se congrega en la iglesia *bajo el liderazgo de un pastor.*

7. ¿Qué se debe hacer para ser un miembro del cuerpo de Cristo? ¿Cómo se relaciona la membresía con el concepto de ser parte de una iglesia?

8. ¿Por qué el "uno al otro" del Nuevo Testamento es tan importante en el crecimiento y desarrollo de los nuevos creyentes en Cristo?

9. ¿Cuáles son las responsabilidades de los nuevos convertidos al adquirir la membresía en el cuerpo de Cristo? ¿Cuáles son los "privilegios" que se tiene como miembro del cuerpo?

10. ¿Posee el nuevo cristiano algún don especial del Espíritu Santo? ¿Cómo debemos equipar a los nuevos creyentes para descubrir y usar sus dones en la iglesia?

CONEXIÓN

Resumen de conceptos importantes

Esta lección enseña la importancia de incorporar a los nuevos cristianos a una asamblea local de creyentes, tan pronto como sea posible, luego de haber tomado la decisión de arrepentirse y creer en el Señor resucitado, Cristo Jesús. La intención de Dios en la evangelización es la multiplicación de los discípulos. Es por eso que no existe un discipulado legítimo fuera del cuerpo de creyentes. Aunque en ocasiones muchos creyentes han sido encarcelados, el deseo de Dios es nutrir a los discípulos en el contexto del cuerpo de creyentes, haciendo que tengan una vida cristiana bajo la guía del Espíritu y bajo el cuidado pastoral de los siervos de Dios que alimentan Su pueblo.

☛ La clave para un evangelización efectivo consiste en el seguimiento de los nuevos cristianos, incorporándolos a una asamblea local tan pronto como sea posible.

☛ El seguimiento a los nuevos creyentes consiste en "incorporarlos a la familia de Dios para que crezcan en Cristo y usen sus dones para el ministerio", es decir, para que *maduren* (crezcan en Cristo) y *den fruto* (se reproduzcan en Cristo al hacer discípulos).

☛ Es necesario dar un seguimiento a los nuevos creyentes tan pronto como sea posible, ya que son vulnerables a los ataques del enemigo, y necesitan ser reorientados en su nueva fe en Cristo, recibiendo un cuidado inmediato como recién nacidos en Cristo.

☛ El Nuevo Testamento provee cinco formas apostólicas para el seguimiento de los nuevos convertidos a Cristo, todas ellas están vigentes hoy día. Podemos prevalecer en oración intercesora por ellos, proveer contacto personal, enviar representantes para estimularlos y exhortarlos, mantener una correspondencia personal, y asegurarnos que tengan líderes espirituales sólidos que velan por ellos.

☛ El bautismo es un símbolo importante de la fe en Jesucristo, el cual debe llevarse a cabo inmediatamente después que el individuo profesa su fe Cristo Jesús.

☛ La membresía es una forma efectiva de afirmar la alianza con un cuerpo particular de cristianos (y reafirmar la alianza con Cristo).

☛ Los nuevos creyentes deben ser instruidos en lo básico: la seguridad de la salvación, el caminar espiritual con Dios, además de vivir en comunión con otros cristianos.

☛ El seguimiento enseña a los nuevos conversos la importancia del cuidado pastoral y cómo se ejerce esta función sobre los miembros del cuerpo de Cristo.

4

Aplicación del estudiante

Discuta ahora con los estudiantes sus preguntas acerca del rol del seguimiento, la evangelización y la guerra espiritual. Si la evangelización es proclamar que somos libres del reino de las tinieblas y pertenecemos al Reino del amado Hijo de Dios (comp. Col. 1.13), entonces la evangelización no es buscar simplemente que la gente levante su mano, o que dé signos visibles de que han hecho una decisión en su corazón. Es más bien la expresión visible de la alianza con Cristo a través del bautismo y la membresía en una asamblea local donde Cristo es adorado como Señor de todo. A la luz de estas verdades tan importantes, ¿qué preguntas en particular han venido a su mente mientras las discutía? Tal vez algunas de las siguientes preguntas le ayuden a formular las suyas de manera más específica.

* ¿Puede una persona confesar ser salvo si no está dispuesta a hacerlo frente a toda la Iglesia? Explique su respuesta.

* ¿Es necesario incorporarse a una *asamblea local* o tener el compromiso de seguir a Dios es suficiente como símbolo de arrepentimiento genuino y fe en Cristo?

* ¿Qué debemos pensar acerca de una evangelización que no provee para que los nuevos creyentes se incorporen a la Iglesia?

* La evangelización creíble y veraz, ¿es aquel que incorpora a los conversos a *nuestra iglesia* o a *una iglesia sana que honre a Cristo*? Si nuestra iglesia tuviera un evento evangelístico, ¿debemos tener en cuenta únicamente a aquellos que se añadirán a nuestra iglesia?

* Si la gente que acercamos a Cristo no se siente cómoda en nuestra iglesia, ¿debemos plantar otra iglesia o buscarles una más a su gusto? ¿No es ir demasiado lejos asegurarse que cada creyente sea incorporado a una iglesia local?

* ¿Qué diremos pues de la evangelización espontánea, cuando por ejemplo compartimos del Señor en un avión o en un bus, o con un extraño en un determinado evento? ¿Debemos procurar para estos nuevos conversos una asamblea donde se puedan incorporar?

Casos de estudio

¿Son verdaderamente salvos?

Una persona aceptó a Cristo hace 3 años y nunca ha participado en alguna iglesia, ya que nunca fue bautizada en Cristo. Como piensa que el mero hecho de haberse decidido lo ha salvado, no siente la ncesidad de ir a la iglesia, y se propuso experimentar a Cristo a través de la enseñanza y "comunión" que recibe por medio de los ministerios radiales y televisivos, a los cuales escucha con fidelidad. ¿Qué sugeriría con respecto a la salvación de esta persona? ¿Es verdaderamente salva? ¿Es salva pero rebelde a la vez con respecto a la enseñanza de pertenecer a la comunidad de fe? ¿Sólo Dios lo sabe a ciencia cierta? ¿Cuál es su opinión y por qué?

No hay tiempo que perder

Después de haber ganado para Cristo a un miembro de una pandilla, los líderes del evento deciden bautizarlo tan pronto como sea posible. Al entender la importancia del bautismo e incorporación, toman la determinación de no perder el tiempo y regresan a la iglesia para llenar el bautisterio y así bautizar cada noche a los nuevos creyentes. Ellos justifican su acción bíblicamente. (Ellos citan la urgencia del bautismo en Hechos como una justificación bíblica de lo realizado la noche anterior). ¿Qué opina acerca de esta decisión?

¿Qué tan pronto debemos animar a los nuevos convertidos a aliarse a Cristo y a la iglesia, después de tomar la decisión de salvación?

Vaya con el hermano Guillermo

 Una iglesia urbana está tan preocupada en conservar los frutos de su evangelización que han determinado *asignar* a los nuevos creyentes mentores espirituales, cuya responsabilidad es instruir, proteger, estimular, aconsejar, además de ser amigos de los nuevos conversos. A pesar de que la agenda quedó muy llena en un principio, en la mayoría de los casos todo salió bien, especialmente porque los mentores se encontraban bajo la autoridad pastoral. ¿Cuál es su opinión sobre estos sistemas? ¿Deberíamos permitir a los nuevos conversos escoger sus amistades en la iglesia, o como en este caso, *asignarles como a pequeños corderos sus pastores* para su cuidado espiritual?

Reafirmación de la tesis de la lección

La clave para una evangelización exitosa consiste en el seguimiento e incorporación del nuevo creyente a una asamblea local tan pronto como sea posible. El seguimiento de los nuevos creyentes consiste en "incorporar a los nuevos convertidos a la familia de Dios para que crezcan en Cristo y usen sus dones para el ministerio", es decir, para que *maduren* (crezcan en Cristo) y *den fruto* (se reproduzcan en Cristo al hacer discípulos). Esto ocurre al bautizar a los nuevos creyentes, incorporándolos a una asamblea local e instruyéndolos como miembros de la comunidad, además de equiparlos para vivir una vida cristiana como miembros del cuerpo de Cristo.

4

Recursos y bibliografía

Si está interesado en profundizar en este tema: *Seguimiento e Incorporación*, le recomendamos estos libros (algunos de estos t tulos pueden estar disponibles en español, o revise nuestro portal en la red cibernética para recursos adicionales en español):

Cosgrove, Francis M., Jr. *Essentials of Discipleship.* Dallas: Roper Press, 1988.

Eims, Leroy. *El arte perdido de discipular.* El Paso, TX: Editorial Mundo Hispano, 2005.

Ortiz, Juan Carlos. *Disciple.* Carol Stream, Ill: Creation House, 1982.

Phillips, Keith. *Id y haced discípulos.* Eugene, OR: Wipf and Stock Publishers, 2008.

Wagner, Peter. *Your Spiritual Gifts Can Help Your Church Grow.* Ventura, CA: Regal Books, 1979.

Deberá poner en práctica lo aprendido en este módulo; póngase de acuerdo con su mentor sobre cómo lo hará. Su habilidad de pensar críticamente sobre el tema de la evangelización y la guerra espiritual es muy importante, y sus ramificaciones para su vida y ministerio son numerosas y enriquecedoras. Tan sólo medite en lo que ha aprendido en este módulo y cómo estas enseñanzas influirán su vida devocional, sus oraciones, su servicio en la iglesia, su actitud en el trabajo y así sucesivamente. Es importante para su desarrollo que incorpore lo aprendido a su vida personal, trabajo y ministerio. El proyecto ministerial está específicamente diseñado para ayudarle a relacionar esta conección y en los próximos días usted tendrá la oportunidad de compartir lo aprendido en su vida y ambiente(s) ministerial(es). Ore a Dios para que le guíe y le dé sabiduría para poder compartir en sus proyectos.

Conexiones ministeriales

¿Ha obrado el Espíritu Santo en su corazón, como resultado de esta lección, mostrándole personas, situaciones u oportunidades para que ore? Escuche al Señor y pídale una guía específica, y ore según lo que le muestre. Hága tiempo para meditar en estas cosas y reciba el apoyo necesario en consejería y oración por parte de aquellos que el Espíritu Santo le ha mostrado.

Consejería y oración

4

ASIGNATURAS

No hay tarea que entregar.

Versículos para memorizar

No hay tarea que entregar.

Lectura del texto asignado

Su proyecto ministerial y su proyecto exegético, deben ser determinados y aceptados por su instructor. Planifique con tiempo para no terminar tardíamente sus asignaturas o tareas.

Otras asignaturas o tareas

El Examen Final lo podrá llevar a casa, e incluirá preguntas de las primeras tres pruebas, preguntas nuevas o material extraído de esta lección, además de preguntas de ensayo que exigirán respuestas cortas a preguntas de importancia. Además debe estudiar los

Anuncio del Examen Final

versículos memorizados durante el transcurso del examen. Cuando haya completado su examen, por favor notifíquelo a su mentor y asegúrese de entregarle todos los papeles.

La última palabra sobre este módulo

Evangelizar es proclamar y demostrar la libertad de Dios por medio de la resurrección del Señor Jesucristo y en el poder del Espíritu Santo, de las garras del diablo y los efectos del pecado y la maldición.

Como discípulos de Jesucristo se nos ha dado la comisión de llevar el evangelio al mundo (Mc. 16.15-16). Al compartir las Buenas Nuevas de Cristo a los hombres, mujeres, niños y niñas, responderán con arrepentimiento y fe frente al ofrecimiento del Señor. Él traerá liberación a los cautivos a través del poder del evangelio y todo aquel que confiese a Jesús como Señor y crea que Dios le levantó de los muertos será salvo. En el ministerio de evangelización luchamos contra el enemigo, a la vez que el Espíritu Santo libere a las personas a través de la Palabra de Gracia del evangelio de Cristo.

La evangelización asume que estamos comprometidos a llevar nuevos convertidos a la Iglesia de Dios. El seguimiento es absolutamente necesario; cada nuevo convertido debe ser ganado para Cristo Jesús, pero también debe ser incorporado a la familia de Dios con el objetivo de que sea equipado para crecer en Cristo y use sus dones para el ministerio. Debemos hacer lo mismo que hicieron los apóstoles en el seguimiento de los convertidos.

Dios demanda que nuestra evangelización incluya el seguimiento e incorporación a una asamblea local. El seguimiento de los nuevos creyentes ayuda a afirmar su fe públicamente, a través del bautismo y la membresía, instruyéndoles en lo básico de la vida cristiana, enseñándoles sobre la importancia del cuidado pastoral, además de equiparles para funcionar como miembros activos en el cuerpo de Cristo.

Verdaderamente, el evangelio es poder de Dios para salvación a todo aquel que cree. ¡Que Dios nos dé claridad y osadía a medida que compartimos las Buenas Nuevas en nuestras comunidades, bajo la dirección del Espíritu Santo!

4

Apéndices

APÉNDICE 1

El Credo Niceno

Creemos en un solo Dios, *(Dt. 6.4-5; Mc. 12.29; 1 Co. 8.6)*
    Padre Todopoderoso, *(Gn. 17.1; Dn. 4.35; Mt. 6.9; Ef. 4.6; Ap. 1.8)*
    Creador del cielo, la tierra *(Gn. 1.1; Is. 40.28; Ap. 10.6)*
    y de todas las cosas visibles e invisibles. *(Sal. 148; Rom 11.36; Ap. 4.11)*

Creemos en un solo Señor Jesucristo, el Hijo unigénito de Dios,
    concebido del Padre antes de todos los siglos:
    Dios de Dios, Luz de la Luz, Dios verdadero de Dios verdadero,
    Engendrado, no creado, de la misma esencia del Padre, *(Jn. 1.1-2; 3.18; 8.58; 14.9-10; 20.28;*
        Col. 1.15, 17; Heb. 1.3-6)
    por quien todo fue hecho. *(Jn. 1.3; Col. 1.16)*

Quien por nosotros los hombres, bajó del cielo para nuestra salvación
    y por obra del Espíritu Santo, se encarnó en la virgen María,
    y se hizo hombre. *(Mt. 1.20-23; Jn. 1.14; 6.38; Lc. 19.10)*
    Por nuestra causa fue crucificado en tiempos de Poncio Pilato,
    padeció y fue sepultado. *(Mt. 27.1-2; Mc. 15.24-39, 43-47; Hch. 13.29; Rom 5.8; Heb. 2.10; 13.12)*
    Resucitó al tercer día, según las Escrituras, *(Mc. 16.5-7; Lc. 24.6-8; Hch. 1.3; Rom 6.9; 10.9; 2 Ti. 2.8)*
    ascendió al cielo y está sentado a la derecha del Padre. *(Mc. 16.19; Ef. 1.19-20)*
    Él vendrá de nuevo con gloria,
    para juzgar a los vivos y a los muertos,
    y su Reino no tendrá fin. *(Is. 9.7; Mt. 24.30; Jn. 5.22; Hch. 1.11; 17.31; Rom 14.9; 2 Co. 5.10; 2 Ti. 4.1)*

Creemos en el Espíritu Santo, Señor y dador de vida,
    (Gn. 1.1-2; Job 33.4; Sal. 104.30; 139.7-8; Lc. 4.18-19; Jn. 3.5-6; Hch. 1.1-2; 1 Co. 2.11; Ap. 3.22)
    quien procede del Padre y del Hijo, *(Jn. 14.16-18, 26; 15.26; 20.22)*
    y juntamente con el Padre y el Hijo
    recibe la misma adoración y gloria, *(Is. 6.3; Mt. 28.19; 2 Co. 13.14; Ap. 4.8)*
    quien también habló por los profetas. *(Nm. 11.29; Miq. 3.8; Hch. 2.17-18; 2 Pe. 1.21)*

Creemos en la Iglesia santa, católica* y apostólica.
    (Mt. 16.18; Ef. 5.25-28; 1 Co. 1.2; 10.17; 1 Ti. 3.15; Ap. 7.9)

Confesamos que hay un sólo bautismo
    y perdón de los pecados, *(Hch. 22.16; 1 Pe. 3.21; Ef. 4.4-5)*
    y esperamos la resurrección de los muertos
    y la vida del siglo venidero. Amén. *(Is. 11.6-10; Miq. 4.1-7; Lc. 18.29-30; Ap. 21.1-5; 21.22-22.5)*

*El término "católica" se refiere a la universalidad de la Iglesia, a través de todos los tiempos y edades, de todas las lenguas y grupos de personas. Se refiere no a una tradición en particular o expresión denominacional (ej. como en la Católica Romana).

A P É N D I C E   2

El Credo Niceno en métrica común

Adaptado por Don L. Davis ©2002. Todos los Derechos Reservados.

Dios el Padre gobierna, Creador de la tierra y los cielos.
¡Si, todas las cosas vistas y no vistas, por Él fueron hechas y dadas!

Nos adherimos a Jesucristo Señor, El único y solo Hijo de Dios
¡Unigénito, no creado, también, Él y nuestro Señor son uno!

Unigénito del Padre, el mismo, en esencia, Dios y Luz;
A través de Él todas las cosas fueron hechas por Dios, en Él fue dada la vida.

Quien es por todos, para salvación, bajó del cielo a la tierra,
Fue encarnado por el poder del Espíritu, y nace de la virgen María.

Quien por nosotros también, fue crucificado, por la mano de Poncio Pilato,
Sufrió, fue enterrado en la tumba, pero al tercer día resucitó otra vez.

De acuerdo al texto sagrado todo esto trató de decir.
Ascendió a los cielos, a la derecha de Dios, ahora sentado está en alto en gloria.

Vendrá de nuevo en gloria a juzgar a los vivos y a los muertos.
El gobierno de Su Reino no tendrá fin, porque reinará como Cabeza.

Adoramos a Dios, el Espíritu Santo, nuestro Señor, conocido como Dador de vida,
Con el Padre y el Hijo es glorificado, Quien por los profetas habló.

Y creemos en una Iglesia verdadera, el pueblo de Dios para todos los tiempos,
Universal en alcance, y edificada sobre la línea apostólica.

Reconociendo un bautismo, para perdón de nuestro pecado,
Esperamos por el día de la resurreción de los muertos que vivirán de nuevo.

Esperamos esos días sin fin, vida en la Era por venir,
¡Cuando el gran reino de Cristo vendrá a la tierra, y la voluntad de Dios será hecha!

Esta canción es adaptada de El Credo Niceno, y preparada en métrica común (8.6.8.6), lo que significa que pueda ser cantada con la métrica de cantos tales como: Sublime gracia, Hay un precioso manantial, Al mundo paz.

APÉNDICE 3

La historia de Dios: Nuestras Raíces Sagradas

Rev. Dr. Don L. Davis

El Alfa y el Omega	Christus Victor	Ven Espíritu Santo	Tu Palabra es verdad	La Gran Confesión	Su vida en nosotros	Vivir en el camino	Renacidos para servir
El Señor Dios es la fuente, sostén y fin de todas las cosas en los cielos y en la tierra. Porque de él, y para él, son todas las cosas. A él sea la gloria por los siglos. Amén. Rom. 11:36.							
EL DRAMA DEL TRINO DIOS — La auto-revelación de Dios en la creación, Israel y Cristo				LA PARTICIPACIÓN DE LA IGLESIA EN EL DRAMA DE DIOS — La fidelidad al testimonio apostólico de Cristo y Su Reino			
El fundamento objetivo: El amor soberano de Dios — *Dios narra su obra de salvación en Cristo*				La práctica subjetiva: Salvación por gracia mediante la fe — *La respuesta de los redimidos por la obra salvadora de Dios en Cristo*			
El Autor de la historia	*El Campeón de la historia*	*El Intérprete de la historia*	*El Testimonio de la historia*	*El Pueblo de la historia*	*La Re-creación de la historia*	*La Encarnación de la historia*	*La Continuación de la historia*
El Padre como *Director*	Jesús como *Actor principal*	El Espíritu como *Narrador*	Las Escrituras como *el guión*	Como santos confesores	Como ministros adoradores	Como seguidores peregrinos	Como testigos embajadores
Cosmovisión cristiana	*Identidad* común	*Experiencia* espiritual	*Autoridad* bíblica	*Teología* ortodoxa	*Adoración* sacerdotal	*Discipulado* congregacional	*Testigo* del Reino
Visión teísta y trinitaria	*Fundamento* Cristo-céntrico	*Comunidad llena del Espíritu*	*Testimonio canónico* apostólico	Afirmación del credo antiguo de fe	Reunión semanal de la Iglesia	Formación espiritual colectiva	Agentes activos del Reino de Dios
Soberana voluntad	*Representación mesiánica*	*Consolador Divino*	*Testimonio inspirado*	*Repetición verdadera*	Gozo sobresaliente	Residencia fiel	Esperanza irresistible
Creador — Verdadero hacedor del cosmos	Recapitulación — *Tipos y cumplimiento del pacto*	Dador de Vida — Regeneración y adopción	Inspiración Divina — La Palabra inspirada de Dios	La confesión de fe — Unión con Cristo	Canto y celebración — Recitación histórica	Supervisión pastoral — Pastoreo del rebaño	Unidad explícita — Amor para los santos
Dueño — Soberano de toda la creación	Revelador — Encarnación de la Palabra	Maestro — Iluminador de la verdad	Historia sagrada — Archivo histórico	Bautismo en Cristo — Comunión de los santos	Homilías y enseñanzas — Proclamación profética	Vida Espiritual — Viaje común a través de las disciplinas espirituales	Hospitalidad radical — Evidencia del reinado de Dios
Gobernador — Controlador bendito de todas las cosas	Redentor — Reconciliador de todas las cosas	Ayudador — Dotación y poder	Teología bíblica — Comentario divino	La regla de fe — El Credo Apostólico y El Credo Niceno	La Cena del Señor — Re-creación dramática	Encarnación — *Anamnesis y prolepsis* a través del año litúrgico	Generosidad excesiva — Buenas obras
Cumplidor del pacto — Fiel prometedor	Restaurador — Cristo el vencedor sobre los poderes del mal	Guía — Divina presencia y gloria de Dios	Alimento espiritual — Sustento para el viaje	El Canon Vicentino — Ubicuidad, antigüedad, universalidad	Presagio escatológico — El YA y EL TODAVÍA NO	Discipulado efectivo — Formación espiritual en la asamblea de creyentes	Testimonio Evangélico — Haciendo discípulos a todas las personas

A P É N D I C E 4

La teología de Christus Victor

Un motivo bíblico para integrar y renovar a la iglesia urbana

Rev. Dr. Don L. Davis

	El Mesías prometido	El Verbo hecho carne	El Hijo del Hombre	El Siervo Sufriente	El Cordero de Dios	El Conquistador victorioso	El reinante Señor en los cielos	El Novio y el Rey que viene
Marco bíblico	La esperanza de Israel sobre el ungido de Jehová quien redimiría a su pueblo	En la persona de Jesús de Nazaret, el Señor ha venido al mundo	Como el rey prometido y el divino Hijo del Hombre, Jesús revela la gloria del Padre y la salvación al mundo	Como inaugurador del Reino, Jesús demuestra el reinado de Dios presente a través de sus palabras, maravillas y obras	Como Sumo Sacerdote y Cordero Pascual, Jesús se ofrece a Dios en nuestro lugar como un sacrificio por los pecados	En su resurrección y ascensión a la diestra del Padre, Jesús es proclamado como victorioso sobre el poder del pecado y la muerte	Mientras ahora reina a la diestra del Padre hasta que sus enemigos estén bajo sus pies, Jesús derrama sus beneficios sobre su Iglesia	Pronto el Señor resucitado y ascendido volverá para reunirse con su novia, la Iglesia, para consumar su obra
Referencias bíblicas	Is. 9.6-7 / Jr. 23.5-6 / Is. 11.1-10	Jn. 1.14-18 / Mt. 1.20-23 / Flp. 2.6-8	Mt. 2.1-11 / Nm. 24.17 / Lc. 1.78-79	Mc. 1.14-15 / Mt. 12.25-30 / Lc. 17.20-21	2 Cor. 5.18-21 / Is. 52-53 / Jn. 1.29	Ef. 1.16-23 / Flp. 2.5-11 / Col. 1.15-20	1 Cor. 15.25 / Ef. 4.15-16 / Hch. 2.32-36	Rom. 14.7-9 / Ap. 5.9-13 / 1 Tes. 4.13-18
La historia de Jesús	El pre-encarnado, unigénito Hijo de Dios en gloria	Su concepción por el Espíritu y su nacimiento por María	Su manifestación a los sabios y al mundo	Sus enseñanzas, expulsión de demonios, milagros y obras portentuosas	Su sufrimiento, crucifixión, muerte y sepultura	Su resurrección, con apariciones a sus testigos y su ascensión al Padre	El envío del Espíritu Santo y sus dones, y Cristo en reunión celestial a la diestra del Padre	Su pronto regreso de los cielos a la tierra como Señor y Cristo: la Segunda Venida
Descripción	La promesa bíblica para la simiente de Abraham, el profeta como Moisés, el hijo de David	Dios ha venido a nosotros mediante la encarnación; Jesús revela a la humanidad la gloria del Padre en plenitud	En Jesús, Dios ha mostrado su salvación al mundo entero, incluyendo a los gentiles	En Jesús, el Reino de Dios prometido ha venido visiblemente a la tierra, la cual está atada al diablo, para anular la maldición	Como el perfecto cordero de Dios, Jesús se ofrece a Dios como una ofrenda por el pecado en nombre del mundo entero	En su resurrección y ascensión, Jesús destruyó la muerte, desarmó a Satanás y anuló la maldición	Jesús es colocado a la diestra del Padre como la Cabeza de la Iglesia, como el primogénito de entre los muertos y el supremo Señor en el cielo	Mientras trabajamos en su cosecha aquí en el mundo, esperamos el regreso de Cristo, el cumplimiento de su promesa
Calendario litúrgico	**Adviento** / *La venida de Cristo*	**Navidad** / *El nacimiento de Cristo*	**Después de epifanía** Bautismo y transfiguración / *La manifestación de Cristo*	**Cuaresma** / *El ministerio de Cristo*	**Semana santa** La pasión / *El sufrimiento y la muerte de Cristo*	**La pascua** La pascua, el día de ascensión, pentecostés / *La resurrección y ascención de Cristo*	**Después de pentecostés** Domingo de la Trinidad / *La reunión celestial de Cristo*	**Después de pentecostés** El día de todos los santos, el reinado de Cristo el Rey / *El reinado de Cristo*
Formación espiritual	Mientras esperamos su regreso, proclamemos la esperanza de Cristo	Oh Verbo hecho carne, que cada corazón le prepare un espacio para morar	Divino Hijo del Hombre, muestra a las naciones tu salvación y gloria	En la persona de Cristo, el poder del reinado de Cristo ha venido a la tierra y a la Iglesia	Que los que compartan la muerte del Señor sean resucitados con Él	Participemos por fe en la victoria de Cristo sobre el poder del pecado, Satanás y la muerte	Ven Espíritu Santo, mora en nosotros y facúltanos para avanzar el Reino de Cristo en el mundo	Vivimos y trabajamos en espera de su pronto regreso, buscando agradarle en todas las cosas

APÉNDICE 5

Christus Victor

Una visión integrada para la vida y el testimonio cristiana

Rev. Dr. Don L. Davis

Para la Iglesia

- La Iglesia es la extensión principal de Jesús en el mundo
- Tesoro redimido del victorioso Cristo resucitado
- *Laos*: El pueblo de Dios
- La nueva creación de Dios: la presencia del futuro
- Lugar y agente del Reino de el ya y el todavía no

Para la teología y la doctrina

- La palabra autoritativa de Cristo: la tradición apostólica: las santas Escrituras
- La Teología como comentario sobre la gran narrativa de Dios
- *Christus Victor* como el marco teológico para el sentido en la vida
- El Credo Niceno: la historia de la triunfante gracia de Dios

Para la vida espiritual

- La presencia y el poder del Espíritu Santo en medio del pueblo de Dios
- Participar en las disciplinas del Espíritu
- Reuniones, leccionario, liturgia y la observancia del año litúrgico
- Vivir la vida del Cristo resucitado en nuestra vida

Para los dones

- La gracia de Dios se dota y beneficia del *Christus Victor*
- Oficios pastorales para la Iglesia
- El Espíritu Santo da soberanamente los dones
- Administración: diferentes dones para el bien común

Christus Victor

Destructor del mal y la muerte
Restaurador de la creación
Vencedor del hades y del pecado
Aplastador de Satanás

Para la adoración

- Pueblo de la resurrección: celebración sin fin del pueblo de Dios
- Recordar y participar del evento de Cristo en nuestra adoración
- Escuchar y responder a la palabra
- Transformados en la Cena del Señor
- La presencia del Padre a través del Hijo en el Espíritu

Para la evangelización y las misiones

- La evangelización como la declaración y la demostración del *Christus Victor* al mundo
- El evangelio como la promesa del Reino
- Proclamamos que el Reino de Dios viene en la persona de Jesús de Nazaret
- La Gran Comisión: ir a todas las personas haciendo discípulos de Cristo y su Reino
- Proclamando a Cristo como Señor y Mesías

Para la justicia y la compasión

- Las expresiones amables y generosas de Jesús a través de la Iglesia
- La Iglesia muestra la vida misma del Reino
- La Iglesia demuestra la vida misma del Reino de los cielos aquí y ahora
- Habiendo recibido de gracia, damos de gracia (sin sentido de mérito u orgullo)
- La justicia como evidencia tangible del Reino venidero

APÉNDICE 6

El Antiguo Testamento testifica de Cristo y Su Reino

Rev. Dr. Don L. Davis

Cristo es visto en el AT.	Promesa y cumplimiento del pacto	Ley moral	Cristofanías	Tipología	Tabernáculo, festival y sacerdocio Levítico	Profecía mesiánica	Promesas de salvación
Pasaje	Gn. 12.1-3	Mt. 5.17-18	Juan 1.18	1 Co. 15.45	Heb. 8.1-6	Mi. 5.2	Is. 9.6-7
Ejemplo	La simiente prometida del pacto Abrahámico	La ley dada en el Monte Sinaí	Comandante del ejército del Señor	Jonás y el gran pez	Melquisedec, como Sumo Sacerdote y Rey	El Siervo Sufriente del Señor	El linaje Justo de David
Cristo como	La simiente de la mujer	El Profeta de Dios	La actual revelación de Dios	El antitipo del drama de Dios	Nuestro eterno Sumo Sacerdote	El Hijo de Dios que vendrá	El Redentor y Rey de Israel
Ilustrado en	Gálatas	Mateo	Juan	Mateo	Hebreos	Lucas y Hechos	Juan y Apocalipsis
Propósito exegético: ve a Cristo	Como el centro del drama sagrado divino	Como el cumplimiento de la Ley	Como quien revela a Dios	Como antitipo de tipos divinos	En el *cultus* de Templo	Como el verdadero Mesías	Como el Rey que viene
Cómo es visto en el NT	Como cumplimiento del juramento de Dios	Como *telos* de la ley	Como la revelación completa, final y superior	Como sustancia detrás de la historia	Como la realidad detrás de las normas y funciones	Como el Reino que está presente	Como el que gobernará sobre el trono de David
Nuestra respuesta en adoración	Veracidad y fidelidad de Dios	La justicia perfecta de Dios	La presencia de Dios entre nosotros	La escritura Inspirada de Dios	La ontología de Dios: su Reino como lo principal y determinante	El siervo ungido y mediador de Dios	La respuesta divina para restaurar la autoridad de Su Reino
Cómo es vindicado Dios	Dios no miente: Él cumple su palabra	Jesús cumple toda justicia	La plenitud de Dios se nos revela en Jesús de Nazaret	El Espíritu habló por los profetas	El Señor ha provisto un mediador para la humanidad	Cada jota y tilde escrita de Él se cumplirá	El mal será aplastado y la creación será restaurada bajo Su Reino

APÉNDICE 7

Resumen del bosquejo de las Escrituras

Rev. Dr. Don L. Davis

1. GÉNESIS - El Principio
   a. Adán
   b. Noé
   c. Abraham
   d. Isaac
   e. Jacob
   f. José

2. ÉXODO - Redención
   a. Esclavitud
   b. Libertad
   c. Ley
   d. Tabernáculo

3. LEVÍTICO - Adoración y compañerismo
   A. Ofrendas, sacrificios
   b. Sacerdotes
   c. Fiestas, festivales

4. NÚMEROS - Servicio y recorrido
   a. Organizados
   b. Errantes

5. DEUTERONOMIO - Obediencia
   a. Moisés repasa la historia y la ley
   b. Leyes civiles y sociales
   c. Pacto palestino
   d. Bendiciones, muerte de Moisés

6. JOSUÉ - Redención (hacia)
   a. Conquistar la tierra
   b. Repartir la tierra
   c. La despedida de Josué

7. JUECES - La liberación de Dios
   a. Desobediencia y juicio
   b. Los doce jueces de Israel
   c. Desobedientes a la ley

8. RUT - Amor
   a. Rut escoge
   b. Rut trabaja
   c. Rut espera
   d. Rut recompensada

9. 1 SAMUEL - Reyes, perspectiva sacerdotal
   a. Elí
   b. Samuel
   c. Saúl
   d. David

10. 2 SAMUEL - David
    a. Rey de Judá (7½ años - Hebrón)
    b. Rey de todo Israel (33 años - Jerusalén)

11. 1 REYES - La gloria de Salomón, la decadencia del reino
    a. Gloria de Salomón
    b. Decadencia del reino
    c. El profeta Elías

12. 2 REYES- El reino dividido
    a. Eliseo
    b. Israel (el reino del norte cae)
    c. Judá (el reino del sur cae)

13. 1 CRÓNICAS - Templo de David
    a. Genealogías
    b. Fin del reino de Saúl
    c. Reino de David
    d. Preparaciones del templo

14. 2 CRÓNICAS - Abandonan el templo y la adoración
    A. Salomón
    B. Reyes de Judá

15. ESDRAS - La minoría (remanente)
    a. Primer retorno del exilio - Zorobabel
    b. Segundo retorno del exilio - Esdras (sacerdote)

16. NEHEMÍAS - Reconstruyendo la fe
    a. Reconstruyen los muros
    b. Avivamiento
    c. Reforma religiosa

17. ESTER - Salvación femenina
    a. Ester
    b. Amán
    c. Mardoqueo
    d. Liberación: Fiesta de Purim

18. JOB - Por qué los rectos sufren
    a. Job el piadoso
    b. Ataque de Satanás
    c. Cuatro amigos filósofos
    d. Dios vive

19. SALMOS - Oración y adoración
    a. Oraciones de David
    b. Sufrimiento piadoso, liberación
    c. Dios trata con Israel
    d. Sufrimiento del pueblo termina con el reinado de Dios
    e. La Palabra de Dios (los sufrimientos y glorioso regreso del Mesías)

20. PROVERBIOS - Sabiduría
    a. Sabiduría y necedad
    b. Salomón
    c. Salomón y Ezequías
    d. Agur
    e. Lemuel

21. ECLESIASTÉS - Vanidad
    a. Experimentación
    b. Observación
    C. Consideración
    e. Lemuel

22. CANTARES - Historia de amor

23. ISAÍAS - La justicia y gracia de Dios
    a. Profecías de castigos
    b. Historia
    c. Profecías de bendiciones

24. JEREMÍAS - El pecado de Judá los lleva a la cautividad babilónica
    a. Jeremías es llamado y facultado
    b. Judá es enjuiciado; cautividad babilónica
    c. Promesa de restauración
    d. Profetiza el juicio infligido
    e. Profetiza contra los gentiles
    f. Resume la cautividad de Judá

25. LAMENTACIONES - Lamento sobre Jerusalén
    a. Aflicción de Jerusalén
    b. Destruida por el pecado
    c. El sufrimiento del profeta
    d. Desolación presente y esplendor pasado
    e. Apelación a Dios por piedad

26. EZEQUIEL - Cautividad y restauración de Israel
    a. Juicio sobre Judá y Jerusalén
    b. Juicio a las naciones gentiles
    c. Israel restaurado; gloria futura de Jerusalén

27. DANIEL - El tiempo de los gentiles
    a. Historia; Nabucodonosor, Beltsasar, Daniel
    b. Profecía

28. OSEAS - Infidelidad
    a. Infidelidad
    b. Castigo
    c. Restauración

29. JOEL - El Día del Señor
    a. Plaga de langostas
    b. Eventos del futuro Día del Señor
    c. Orden del futuro Día del Señor

30. AMÓS - Dios juzga el pecado
    a. Naciones vecinas juzgadas
    b. Israel juzgado
    c. Visiones del futuro juicio
    d. Bendiciones de los juicios pasados sobre Israel

31. ABDÍAS - Destrucción de Edom
    a. Destrucción profetizada
    b. Razones de destrucción

Continuación 31. ABDÍAS
    c. Bendición futura de Israel
    d. Bendiciones de los juicios pasados sobre Israel

32. JONÁS - Salvación a los gentiles
    a. Jonás desobedece
    b. Otros sufren las consecuencias
    c. Jonás castigado
    d. Jonás obedece; miles son salvos
    e. Jonás enojado, sin amor por las almas

33. MIQUEAS - Pecados, juicio y restauración de Israel
    a. Pecado y juicio
    B. Gracia y futura restauración
    c. Apelación y petición

34. NAHÚM - Nínive enjuiciada
    a. Dios detesta el pecado
    b. Juicio de Nínive profetizado
    c. Razones del juicio y destrucción

35. HABACUC - El justo por la fe vivirá
    a. Queja por el pecado tolerado de Judá
    b. Los caldeos los castigarán
    c. Queja contra la maldad de los caldeos
    d. El castigo prometido
    e. Oración por avivamiento; fe en Dios

36. SOFONÍAS - Invasión babilónica, prototipo del Día del Señor
    a. Juicio sobre Judá predice el Gran Día del Señor
    b. Juicio sobre Jerusalén y pueblos vecinos predice el juicio final de las naciones
    c. Israel restaurado después de los juicios

37. HAGEO - Reconstruyen el templo
    a. Negligencia
    b. Valor
    c. Separación
    d. Juicio

38. ZACARÍAS - Las dos venidas de Cristo
    a. Visión de Zacarías
    b. Betel pregunta, Jehová responde
    c. Caída y salvación

39. MALAQUÍAS - Negligencia
    a. Pecados del sacerdote
    b. Pecados del pueblo
    c. Los pocos fieles

Resumen del bosquejo de las Escrituras (continuación)

1. MATEO - Jesús el Rey
   a. La Persona del Rey
   b. La preparación del Rey
   c. La propaganda del Rey
   d. El programa del Rey
   e. La pasión del Rey
   f. El poder del Rey

2. MARCOS - Jesús el Siervo
   a. Juan introduce al Siervo
   b. Dios Padre identifica al Siervo
   c. La tentación, inicio del Siervo
   d. Obra y palabra del Siervo
   e. Muerte, sepultura, resurrección

3. LUCAS - Jesucristo el perfecto Hombre
   a. Nacimiento y familia del Hombre perfecto
   b. El Hombre perfecto probado; su pueblo de nacimiento
   c. Ministerio del Hombre perfecto
   d. Traición, juicio, y muerte del Hombre perfecto
   e. Resurrección del Hombre perfecto

4. JUAN - Jesucristo es Dios
   a. Prólogo - la encarnación
   b. Introducción
   c. Testimonio de Jesús a sus apóstoles
   d. Pasión - testimonio al mundo
   e. Epílogo

5. HECHOS - El Espíritu Santo obrando en la Iglesia
   a. El Señor Jesús obrando por el Espíritu Santo a través de los apóstoles en Jerusalén
   b. En Judea y Samaria
   c. Hasta los confines de la tierra

6. ROMANOS - La Justificación de Dios
   a. Saludos
   b. Pecado y salvación
   c. Santificación
   d. Lucha
   e. Vida llena del Espíritu Santo
   f. Seguridad de la salvación
   g. Apartarse
   h. Sacrificio y servicio
   i. Separación y despedida

7. 1 CORINTIOS - El Señorío de Cristo
   a. Saludos y agradecimiento
   b. Estado moral de los corintios
   c. Concerniente al evangelio
   d. Concerniente a las ofrendas

8. 2 CORINTIOS - El Ministerio en la Iglesia
   a. El consuelo de Dios
   b. Ofrenda para los pobres
   c. Llamamiento del apóstol Pablo

9. GÁLATAS - Justificación por la fe
   a. Introducción
   b. Lo personal - autoridad del apóstol y gloria del evangelio
   c. Lo doctrinal - justificación por la fe
   d. Lo práctico - santificación mediante el Espíritu Santo
   e. Conclusión autografiada y exhortación

10. EFESIOS - La Iglesia de Jesucristo
    a. Lo doctrinal - el llamado celestial a la Iglesia
       Un cuerpo
       Un templo
       Un misterio
    b. Lo práctico - la conducta terrenal de la Iglesia
       Un nuevo hombre
       Una novia
       Un ejército

11. FILIPENSES - Gozo de la vida cristiana
    a. Filosofía de la vida cristiana
    b. Pautas para la vida cristiana
    c. Premios para la vida cristiana
    d. Poder para la vida cristiana

12. COLOSENSES - Cristo la plenitud de Dios
    a. Lo doctrinal - En Cristo los creyentes están completos
    b. Lo práctico - La vida de Cristo derramada sobre los creyentes, y a través de ellos

13. 1 TESALONICENSES - La segunda venida de Cristo:
    a. Es una esperanza inspiradora
    b. Es una esperanza operadora
    c. Es una esperanza purificadora
    d. Es una esperanza alentadora
    e. Es una esperanza estimulante y resplandeciente

14. 2 TESALONICENSES - La segunda venida de Cristo
    a. Persecución de los creyentes ahora; el juicio futuro de los impíos (en la venida de Cristo)
    b. Programa del mundo en conexión con la venida de Cristo
    c. Asuntos prácticos asociados con la venida de Cristo

15. 1 TIMOTEO - Gobierno y orden en la iglesia local
    a. La fe de la iglesia
    b. Oración pública y el lugar de las mujeres en la iglesia
    c. Oficiales en la iglesia
    d. Apostasía en la iglesia
    e. Responsabilidades de los oficiales en la iglesia

16. 2 TIMOTEO - Lealtad en los días de apostasía
    a. Aflicciones por el evangelio
    b. Activos en servicio
    c. Apostasía venidera; autoridad de las Escrituras
    d. Alianza al Señor

17. TITO - La iglesia ideal del Nuevo Testamento
    a. La Iglesia es una organización
    b. La Iglesia debe enseñar y predicar la Palabra de Dios
    c. La Iglesia debe hacer buenas obras

18. FILEMÓN - Revelar el amor de Cristo y enseñar el amor fraternal
    a. Saludo afable a Filemón y su familia
    b. Buena reputación de Filemón
    c. Ruego humilde por Onésimo
    d. Ilustración inocente de imputación
    E. Peticiones generales

19. HEBREOS - Superioridad de Cristo
    a. Lo doctrinal - Cristo mejor que el A.T.
    b. Lo práctico - Cristo trae mejores beneficios

20. SANTIAGO - Ética del cristianismo
    a. Fe probada
    b. Control de la lengua
    c. Sobre la mundanalidad
    d. De la venida del Señor

21. 1 PEDRO - Esperanza cristiana en tiempo de persecución y prueba
    a. Sufrimiento y seguridad
    B. Sufrimiento y la Biblia
    c. Sufrimiento de Cristo
    d. Sufrimiento y la segunda venida de Cristo

22. 2 PEDRO - Advertencia contra los falsos maestros
    a. Crecimiento en la gracia cristiana da seguridad
    b. Autoridad de la Biblia
    c. Apostasía
    d. Actitud hacia el retorno de Cristo
    e. Agenda de Dios en el mundo
    f. Advertencia a los creyentes

23. 1 JUAN - La familia de Dios
    a. Dios es luz
    b. Dios es amor
    c. Dios es vida

24. 2 JUAN - Advertencia a no recibir engañadores
    a. Caminar en la verdad
    b. Amarse unos a otros
    c. No recibir engañadores
    d. Gozo en la comunión

25. 3 JUAN - Amonestación a recibir a los verdaderos creyentes
    a. Gayo, hermano en la iglesia
    b. Oposición de Diótrefes
    c. Buen testimonio de Demetrio

26. JUDAS - Contendiendo por la Fe
    a. Ocasión de la epístola
    b. Acontecimientos de apostasía
    c. Ocupación de los creyentes en los días de la apostasía

27. APOCALIPSIS - La revelación del Cristo glorificado
    a. Cristo en gloria
    b. Posesión de Jesucristo - la Iglesia en el mundo
    c. Programa de Jesucristo - la escena en el cielo
    d. Los siete sellos
    e. Las siete trompetas
    f. Personas importantes en los últimos días
    g. Las siete copas
    h. La caída de Babilonia
    i. El estado eterno

A P É N D I C E   8

Desde antes hasta después del tiempo:

El plan de Dios y la historia humana

Adaptado de Suzanne de Dietrich. **Desarrollo del Propósito de Dios.** *Philadelphia: Westminster Press, 1976.*

I.   Antes del tiempo (La eternidad pasada) 1 Co. 2.7

A.   El eterno Dios trino

B.   El propósito eterno de Dios

C.   El misterio de la iniquidad

D.   Los principados y potestades

II.   El inicio del tiempo (La creación y caída) Gn. 1.1

A.   La Palabra creadora

B.   La humanidad

C.   La Caída

D.   El reinado de la muerte y primeras señales de la gracia

III.   El despliegue de los tiempos (El plan de Dios revelado a través de Israel) Gál. 3.8

A.   La promesa (patriarcas)

B.   El ÉXODO y el pacto del Sinaí

C.   La Tierra prometida

D.   La ciudad, el templo, y el trono (profeta, sacerdote, y rey)

E.   El exilio

F.   El remanente

IV.   La plenitud del tiempo (La encarnación del Mesías) Gál. 4.4-5

A.   El Rey viene a su Reino

B.   La realidad presente de su reino

C.   El secreto del Reino: Ya está aquí, pero todavía no

D.   El Rey crucificado

E.   El Señor resucitado

V. Los últimos tiempos (El derramamiento del Espíritu Santo) Hch. 2.16-18

A.   En medio de los tiempos: La Iglesia como el anticipo del Reino

B.   La Iglesia como el agente del reino

C.   El conflicto entre el Reino de la luz y el reino de las tinieblas

VI. El cumplimiento de los tiempos (El retorno de Cristo) Mt. 13.40-43

A.   La Segunda Venida de Cristo

B.   El juicio

C.   La consumación de su Reino

VII. Después del tiempo (La eternidad futura) 1 Co. 15.24-28

A.   El Reino traspasado a Dios el Padre

B.   Dios como el todo en todo

Desde antes hasta después del tiempo
Bosquejo de las Escrituras sobre los puntos más importantes

I. Antes del tiempo (La eternidad pasada)

1 Co. 2.7 - Mas hablamos sabiduría de Dios en misterio, la sabiduría oculta, *la cual Dios predestinó antes de los siglos* para nuestra gloria (compárese con Tito 1.2).

II. El inicio del tiempo (La creación y caída)

Gn. 1.1 - *En el principio*, Dios creó los cielos y la tierra.

III. El despliegue de los tiempos (El plan de Dios revelado a través de Israel)

Gál. 3.8 - Y la Escritura, previendo que Dios había de justificar por la fe a los gentiles, *dio de antemano la buena nueva a Abraham*, diciendo: En ti serán benditas todas las naciones (compárese con Rom 9.4-5).

IV. La plenitud del tiempo (La encarnación del Mesías)

Gál. 4.4-5 - *Pero cuando vino el cumplimiento del tiempo*, Dios envió a su Hijo, nacido de mujer y nacido bajo la ley, para que redimiese a los que estaban bajo la ley, a fin de que recibiésemos la adopción de hijos.

V. Los últimos tiempos (El derramamiento del Espíritu Santo)

Hch. 2.16-18 - Mas esto es lo dicho por el profeta Joel: *Y en los postreros días*, dice Dios, derramaré de mi Espíritu sobre toda carne, y vuestros hijos y vuestras hijas profetizarán; vuestros jóvenes verán visiones, y vuestros ancianos soñarán sueños; y de cierto sobre mis siervos y sobre mis siervas en aquellos días derramaré de mi Espíritu, y profetizarán.

VI. El cumplimiento de los tiempos (La Segunda Venida de Cristo)

Mt. 13.40-43 - De manera que como se arranca la cizaña, y se quema en el fuego, *así será en el fin de este siglo*. Enviará el Hijo del Hombre a sus ángeles, y recogerán de su reino a todos los que sirven de tropiezo, y a los que hacen iniquidad, y los echarán en el horno de fuego; allí será el lloro y el crujir de dientes. Entonces los justos resplandecerán como el sol en el reino de su Padre. El que tiene oídos para oír, oiga.

VII. Después del tiempo (La eternidad futura)

1 Co. 15.24-28 - Luego el fin, cuando entregue el reino al Dios y Padre, cuando haya suprimido todo dominio, toda autoridad y potencia. Porque preciso es que él reine hasta que haya puesto a todos sus enemigos debajo de sus pies. Y el postrer enemigo que será destruido es la muerte. Porque todas las cosas las sujetó debajo de sus pies. Y cuando dice que todas las cosas han sido sujetadas a él, claramente se exceptúa aquel que sujetó a él todas las cosas. Pero luego que todas las cosas le estén sujetas, entonces también el Hijo mismo se sujetará al que le sujetó a él todas las cosas, para que Dios sea todo en todos.

APÉNDICE 9

"Hay un río"

Identificando las corrientes del auténtico re-avivamiento de la comunidad cristiana en la ciudad[1]

Rev. Dr. Don L. Davis • Salmo 46.4 - Del río sus corrientes alegran la ciudad de Dios, el santuario de las moradas del Altísimo.

Contribuyentes de la historia auténtica de la fe bíblica			
Identidad bíblica reafirmada	Espiritualidad urbana reavivada	Legado histórico restaurado	Ministerio del Reino re-enfocado
La Iglesia es una	La Iglesia es santa	La Iglesia es católica (universal)	La Iglesia es apostólica
Un llamado a la fidelidad bíblica *reconociendo las Escrituras como la raíz y el cimiento de la visión cristiana*	Un llamado a vivir como peregrinos y extranjeros como pueblo de Dios *definiendo el discipulado cristiano auténtico como la membresía fiel entre el pueblo de Dios*	Un llamado a nuestras raíces históricas y a la comunidad *confesando la histórica identidad común y la continuidad de la auténtica fe cristiana*	Un llamado a afirmar y expresar la comunión global de los santos *expresando cooperación local y colaboración global con otros creyentes*
Un llamado a una identidad mesiánica del Reino *re-descubriendo la historia del Mesías prometido y su Reino en Jesús de Nazaret*	Un llamado a la libertad, poder y plenitud del Espíritu Santo *caminando en santidad, poder, dones, y libertad del Espíritu Santo en el cuerpo de Cristo*	Un llamado a una afinidad de credo *teniendo El Credo Niceno como la regla de fe de la ortodoxia histórica*	Un llamado a la hospitalidad radical y las buenas obras *demostrando la ética del Reino con obras de servicio, amor y justicia*
Un llamado a la fe de los apóstoles *afirmando la tradición apostólica como la base autoritaria de la esperanza cristiana*	Un llamado a una vitalidad litúrgica, sacramental y doctrinal *experimentando la presencia de Dios en el contexto de la adoración, ordenanzas y enseñanza*	Un llamado a la autoridad eclesiástica *sometiéndonos a los dotados siervos de Dios en la Iglesia como co-pastores con Cristo en la fe verdadera*	Un llamado al testimonio profético y completo *proclamando a Cristo y su Reino en palabra y hechos a nuestros vecinos y toda gente*

[1] *Este esquema es una adaptación y está basada en la introspección de la declaración* **El Llamado a Chicago** *en mayo de 1977, donde varios líderes académicos evangélicos y pastores se reunieron para discutir la relación entre el evangelicalismo moderno y la fe del cristianismo histórico.*

APÉNDICE 10

Esquema para una teología del Reino y la Iglesia

Instituto Ministerial Urbano

El reinado del único, verdadero, soberano, y trino Dios, el SEÑOR Dios, YHWH (Jehová), Dios Padre, Hijo y Espíritu Santo		
El Padre — Amor - 1 Juan 4.8 / Creador del cielo y la tierra y todas las cosas visibles e invisibles	**El Hijo** — Fe - Heb. 12.2 / Profeta, Sacerdote, y Rey	**El Espíritu** — Esperanza - Rom. 15.13 / Señor de la Iglesia
Creación — Todo lo que existe a través de la acción creadora de Dios.	**Reino** — El reino de Dios expresado en el gobierno del Mesías, su Hijo Jesús.	**Iglesia** — La comunidad santa y apostólica que sirve como testigo (Hech. 28.31) y anticipo (Col. 1.12; Sant. 1.18; 1 Ped. 2.9; Apoc. 1.6) del reino de Dios.

Rom. 8.18-21 →

El eterno Dios, soberano en poder, infinito en sabiduría, perfecto en santidad y amor incondicional, es la fuente y fin de todas las cosas.

Libertad (Esclavitud)

Jesús les respondió: De cierto, de cierto os digo, que todo aquel que hace pecado, esclavo es del pecado. Y el esclavo no queda en la casa para siempre; el hijo sí queda para siempre. Así que, si el Hijo os libertare, seréis verdaderamente libres. - Juan 8.34-36

La Iglesia es una comunidad apostólica donde la Palabra es predicada correctamente, por consiguiente es una comunidad de:

Llamado - Estad, pues, firmes en la libertad con que Cristo nos hizo libres, y no estéis otra vez sujetos al yugo de esclavitud. - Gál. 5.1 (comparar con Rom. 8.28-30; 1 Cor. 1.26-31; Ef. 1.18; 2 Tes. 2.13-14; Jud. 1.1)

Fe - «Porque si no creéis que yo soy, en vuestros pecados moriréis». … Dijo entonces Jesús a los judíos que habían creído en él: Si vosotros permaneciereis en mi palabra, seréis verdaderamente mis discípulos; y conoceréis la verdad, y la verdad os hará libres. - Juan 8.24b, 31-32 (comparar con Sal. 119.45; Rom. 1.17; 5.1-2; Ef. 2.8-9; 2 Tim. 1.13-14; Hech. 2.14-15; Sant. 1.25)

Testimonio - El Espíritu del Señor está sobre mí, por cuanto me ha ungido para dar buenas nuevas a los pobres; me ha enviado a sanar a los quebrantados de corazón; a pregonar libertad a los cautivos, y vista a los ciegos; a poner en libertad a los oprimidos; a predicar el año agradable del Señor. - Luc. 4.18-19 (Ver Lev. 25.10; Prov. 31.8; Mat. 4.17; 28.18-20; Mar. 13.10; Hech. 1.8; 8.4, 12; 13.1-3; 25.20; 28.30-31)

Apoc. 21.1-5 →

¡Oh profundidad de las riquezas de la sabiduría y de la ciencia de Dios! ¡Cuán insondables son sus juicios, e inescrutables sus caminos! Porque ¿quién entendió la mente del Señor? ¿O quién fue su consejero? ¿O quién le dio a él primero, para que le fuese recompensado? Porque de él, y por él, y para él, son todas las cosas. A él sea la gloria por los siglos. Amén. - Rom. 11.33-36 (comparar con 1 Cor. 15.23-28).

La Iglesia es la comunidad donde las ordenanzas son administradas correctamente, por lo tanto es una comunidad de:

Adoración - Mas a Jehová vuestro Dios serviréis, y él bendecirá tu pan y tus aguas; y yo quitaré toda enfermedad de en medio de ti. - Ex. 23.25 (comparar con Sal. 147.1-3; Hech. 12.28; Col. 3.16; Apoc. 15.3-4; 19.5)

Pacto - Y nos atestigua lo mismo el Espíritu Santo; porque después de haber dicho: Este es el pacto que haré con ellos después de aquellos días, dice el Señor: Pondré mis leyes en sus corazones, y en sus mentes las escribiré, añade: Y nunca más me acordaré de sus pecados y transgresiones. - Hech. 10.15-17 (comparar con Isa. 54.10-17; Ezeq. 34.25-31; 37.26-27; Mal. 2.4-5; Luc. 22.20; 2 Cor. 3.6; Col. 3.15; Heb. 8.7-13; 12.22-24; 13.20-21)

Presencia - En quien vosotros también sois juntamente edificados para morada de Dios en el Espíritu. - Ef. 2.22 (comparar con Ex. 40.34-38; Ezeq. 48.35; Mat. 18.18-20)

Entereza (física y emocional) (Enfermedad)

Mas él herido fue por nuestras rebeliones, molido por nuestros pecados; el castigo de nuestra paz fue sobre él, y por su llaga fuimos nosotros curados. - Isa. 53.5

La Iglesia es una comunidad santa donde la disciplina es aplicada, por lo tanto es una comunidad de:

Reconciliación - Porque él es nuestra paz, que de ambos pueblos hizo uno, derribando la pared intermedia de separación, aboliendo en su carne las enemistades, la ley de los mandamientos expresados en ordenanzas, para crear en sí mismo de los dos un solo y nuevo hombre, haciendo la paz, y mediante la cruz reconciliar con Dios a ambos en un solo cuerpo, matando en ella las enemistades. Y vino y anunció las buenas nuevas de paz a vosotros que estabais lejos, y a los que estaban cerca; porque por medio de él los unos y los otros tenemos entrada por un mismo Espíritu al Padre. - Ef. 2.14-18 (comparar con Ex. 23.4-9; Lev. 19.34; Deut. 10.18-19; Ezeq. 22.29; Miq. 6.8; 2 Cor. 5.16-21)

Padecimientos - Puesto que Cristo ha padecido por nosotros en la carne, vosotros también armaos del mismo pensamiento; pues quien ha padecido en la carne, terminó con el pecado, para no vivir el tiempo que resta en la carne, conforme a las concupiscencias de los hombres, sino conforme a la voluntad de Dios. - 1 Ped. 4.1-2 (comparar con Luc. 6.22; 10.3; Rom. 8.17; 2 Tim. 2.3; 3.12; 1 Ped. 2.20-24; Heb. 5.8; 13.11-14)

Servicio - Entonces Jesús, llamándolos, dijo: Sabéis que los gobernantes de las naciones se enseñorean de ellas, y los que son grandes ejercen sobre ellas potestad. Mas entre vosotros no será así, sino que el que quiera hacerse grande entre vosotros será vuestro servidor, y el que quiera ser el primero entre vosotros será vuestro siervo. - Mat. 20.25-27 (comparar con 1 Juan 4.16-18; Gál. 2.10)

Isa. 11.6-9 →

Morará el lobo con el cordero, y el leopardo con el cabrito se acostará; el becerro y el león y la bestia doméstica andarán juntos, y un niño los pastoreará. La vaca y la osa pacerán, sus crías se echarán juntas; y el león como el buey comerá paja. Y el niño de pecho jugará sobre la cueva del áspid, y el recién destetado extenderá su mano sobre la caverna de la víbora. No harán mal ni dañarán en todo mi santo monte, porque la tierra será llena del conocimiento de Jehová, como las aguas cubren el mar.

Justicia (Egoísmo)

He aquí mi siervo, a quien he escogido; mi Amado, en quien se agrada mi alma; pondré mi Espíritu sobre él, y a los gentiles anunciará juicio. No contenderá, ni voceará, ni nadie oirá en las calles su voz. La caña cascada no quebrará, y el pábilo que humea no apagará, hasta que saque a victoria el juicio. - Mat. 12.18-20

APÉNDICE 11

Viviendo en el Reino del YA y EL TODAVÍA NO

Rev. Dr. Don L. Davis

El Espíritu: La promesa de la herencia **(arrabón)**

La Iglesia: El anticipo **(aparqué)** del Reino

"En Cristo": La vida rica **(en Cristós)** que compartimos como ciudadanos del Reino

La Segunda Venida

Manifestaciones en el AT del Reino de Dios

El siglo venidero

La Encarnación: La inauguración del Reino en Jesús de Nazaret

Viviendo en
El Ya
y el
Todavía No del Reino
(El Escaton)

La eternidad con Dios y Cristo en los días interminables del Reino

La era presente

Enemigo interno: La carne (*sarx*) y la naturaleza del pecado

Enemigo externo: El mundo (*kósmos*), los sistemas de avaricia, lujuria, y el orgullo

Enemigo infernal: El diablo (*kakós*), el espíritu incitador de la mentira y el miedo

Interpretación Judía del tiempo

La era presente   La era venidera

La venida del Mesías

La restauración de Israel

El fin de la opresión gentil

El retorno de la tierra a la gloria edénica

Conocimiento universal del Señor

A P É N D I C E   1 2
Jesús de Nazaret: La presencia del futuro
Rev. Dr. Don L. Davis

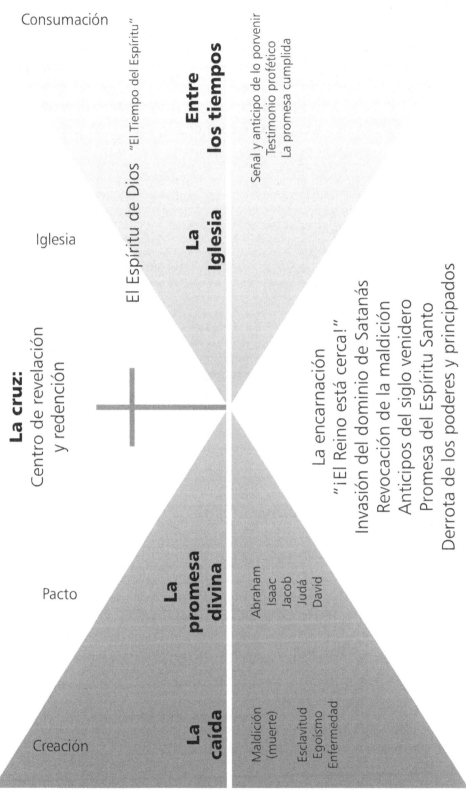

Glorificación: Cielos nuevos y tierra nueva

Consumación

Entre los tiempos

"El Tiempo del Espíritu"

El Espíritu de Dios

Señal y anticipo de lo porvenir
Testimonio profético
La promesa cumplida

Iglesia

La Iglesia

La cruz:
Centro de revelación y redención

La encarnación
"¡El Reino está cerca!"
Invasión del dominio de Satanás
Revocación de la maldición
Anticipos del siglo venidero
Promesa del Espíritu Santo
Derrota de los poderes y principados

Pacto

La promesa divina

Abraham
Isaac
Jacob
Judá
David

Creación

La caída

Maldición (muerte)

Esclavitud
Egoísmo
Enfermedad

Creación: El reinado del Todopoderoso Dios

APÉNDICE 13

Tradiciones
(Gr. Paradosis)
Dr. Don L. Davis y Rev. Terry G. Cornett

Definición de la concordancia Strong

Paradosis. Transmisión de un precepto; específicamente, la ley tradicional judía. Se refiere a una ordenanza o tradición.

Explicación del diccionario Vine

Denota "una tradición", y he allí, por atributo específico de palabras, (a) "las enseñanzas de los rabinos", . . . (b) "enseñanza apostólica", . . . de las instrucciones concernientes a la asamblea de creyentes, de la doctrina cristiana en general . . . de las instrucciones concernientes a la conducta diaria.

1. El concepto de la tradición en la Escritura es esencialmente positivo.

Jer. 6.16 (LBLA) - Así dice el SEÑOR: Paraos en los caminos y mirad, y preguntad por los senderos antiguos cuál es el buen camino, y andad por él; y hallaréis descanso para vuestras almas. Pero dijeron: "No andaremos en él" (compare con Éxo. 3.15; Jer. 2.17; 1 Rey. 8.57-58; Sal. 78.1-6).

2 Cr. 35.25 - Y Jeremías endechó en memoria de Josías. Todos los cantores y cantoras recitan esas lamentaciones sobre Josías hasta hoy; y las tomaron por norma para endechar en Israel, las cuales están escritas en el libro de Lamentaciones (compare con Gn. 32.32; Jer. 11.38-40).

Jer. 35.14-19 (LBLA) - Las palabras de Jonadab, Hijo de Recab, que mandó a sus hijos de no beber vino, son guardadas. Por eso no beben vino hasta hoy, porque han obedecido el mandato de su padre. Pero yo os he hablado repetidas veces, con todo no me habéis escuchado. También os he enviado a todos mis siervos los profetas, enviándolos repetidas veces, a deciros: "Volveos ahora cada uno de vuestro mal camino, enmendad vuestras obras y no vayáis tras otros dioses para adorárlos, y habitaréis en la tierra que os he dado, a vosotros y a vuestros padres; pero no inclinasteis vuestro oído, ni me escuchasteis. Ciertamente los hijos de Jonadab, Hijo de Recab, han guardado el mandato que su padre les ordenó, pero este pueblo no me ha escuchado". Por tanto así dice el SEÑOR, Dios de los

Tradiciones (continuación)

ejércitos, el Dios de Israel: "He aquí, traigo sobre Judá y sobre todos los habitantes de Jerusalén toda la calamidad que he pronunciado contra ellos, porque les hablé, pero no escucharon, y los llamé, pero no respondieron". Entonces Jeremías dijo a la casa de los recabitas: Así dice el SEÑOR de los ejércitos, el Dios de Israel: "Por cuanto habéis obedecido el mandato de vuestro padre Jonadab, guardando todos sus mandatos y haciendo conforme a todo lo que él os ordenó, por tanto, así dice el SEÑOR de los ejércitos, el Dios de Israel: 'A Jonadab, Hijo de Recab, no le faltará hombre que esté delante de mí todos los días'".

2. La tradición santa es maravillosa; pero no toda tradición es santa.

Toda tradición debe ser evaluada individualmente por su fidelidad a la Palabra de Dios y su eficacia en ayudarnos a mantener la obediencia al ejemplo de Cristo y sus enseñanzas.[1] En los Evangelios, Jesús frecuentemente reprendía a los fariseos por establecer tradiciones que anulaban, en lugar de afirmar, los mandamientos de Dios.

Mc. 7.8 - Porque dejando el mandamiento de Dios, os aferráis a la tradición de los hombres (compare con Mt. 15.2-6; Mc. 7.13).

Col. 2.8 - Mirad que nadie os engañe por medio de filosofías y huecas sutilezas, según las tradiciones de los hombres, conforme a los rudimentos del mundo, y no según Cristo.

3. Sin la plenitud del Espíritu Santo y la constante edificación, que nos es provista por la Palabra de Dios, la tradición inevitablemente nos llevará al formalismo muerto.

Todos los que somos espirituales, de igual manera, debemos ser llenos del Espíritu Santo: Del poder y guía del único que provee a toda congregación e individuo un sentido de libertad y vitalidad en todo lo que practicamos y creemos. Sin embargo, cuando las prácticas y enseñanzas de una tradición dejan de ser inyectadas por el poder del Espíritu Santo y la Palabra de Dios, la tradición pierde su efectividad; y podría llegar a ser contraproducente a nuestro discipulado en Jesucristo.

Ef. 5.18 - No os embriaguéis con vino, en lo cual hay disolución; antes bien sed llenos del Espíritu.

[1] *"Todo Protestante insiste que estas tradiciones tienen que ser siempre probadas por las Escrituras y que nunca pueden poseer una autoridad apostólica independiente sobre o a la par de la Escritura" (J. Van Engen, Tradition,* **Evangelical Dictionary of Theology,** *Walter Elwell, Gen. ed.). Nosotros añadimos que la Escritura es la misma "tradición autoritativa" por la que todas las demás tradiciones son evaluadas. Ver la 4ª pág. de este apéndice: "Apéndice A, Los fundadores de la tradición: Tres niveles de autoridad cristiana".*

Gál. 5.22-25 - Mas el fruto del Espíritu es amor, gozo, paz, paciencia, benignidad, bondad, fe, mansedumbre, templanza; contra tales cosas no hay ley. Pero los que son de Cristo han crucificado la carne con sus pasiones y deseos. Si vivimos por el Espíritu, andemos también por el Espíritu.

2 Co. 3.5-6 (NVI) - No es que nos consideremos competentes en nosotros mismos. Nuestra capacidad viene de Dios. Él nos ha capacitado para ser servidores de un nuevo pacto, no el de la letra sino el del Espíritu; porque la letra mata, pero el Espíritu da vida.

4. La fidelidad a la tradición apostólica (enseñando y modelando) es la esencia de la madurez cristiana.

2 Ti. 2.2 - Lo que has oído de mí ante muchos testigos, esto encarga a hombres fieles que sean idóneos para enseñar también a otros.

1 Co. 11.1-2 (LBLA) - Sed imitadores de mí, como también yo lo soy de Cristo. Os alabo porque en todo os acordáis de mí y guardáis las tradiciones con firmeza, tal como yo os las entregué (compare con 1 Co. 4.16-17, 2 Ti. 1.13-14, 2 Te. 3.7-9, Fil. 4.9).

1 Co. 15.3-8 (LBLA) - Porque yo os entregué en primer lugar lo mismo que recibí: que Cristo murió por nuestros pecados, conforme a las Escrituras; que fue sepultado y que resucitó al tercer día, conforme a las Escrituras; que se apareció a Cefas y después a los doce; luego se apareció a más de quinientos hermanos a la vez, la mayoría de los cuales viven aún, pero algunos ya duermen; después se apareció a Jacobo, luego a todos los apóstoles, y al último de todos, como a uno nacido fuera de tiempo, se me apareció también a mí.

5. El apóstol Pablo a menudo incluye una apelación a la tradición como apoyo de las prácticas doctrinales.

1 Co. 11.16 - Con todo eso, si alguno quiere ser contencioso, nosotros no tenemos tal costumbre, ni las iglesias de Dios (compare con 1 Co. 1.2, 7.17, 15.3).

Tradiciones (continuación)

1 Co. 14.33-34 (LBLA) - Porque Dios no es Dios de confusión, sino de paz, como en todas las iglesias de los santos. Las mujeres guarden silencio en las iglesias, porque no les es permitido hablar, antes bien, que se sujeten como dice también la ley.

6. Cuando una congregación usa la tradición recibida para mantenerse fiel a la "Palabra de Dios", es felicitada por los apóstoles.

1 Co. 11.2 (LBLA) - Os alabo porque en todo os acordáis de mí y guardáis las tradiciones con firmeza, tal como yo os las entregué.

2 Ts. 2.15 - Así que, hermanos, estad firmes, y retened la doctrina que habéis aprendido, sea por palabra, o por carta nuestra.

2 Ts. 3.6 (BLS) - Hermanos míos, con la autoridad que nuestro Señor Jesucristo nos da, les ordenamos que se alejen de cualquier miembro de la iglesia que no quiera trabajar ni viva de acuerdo con la enseñanza que les dimos.

Apéndice A

Los fundadores de la tradición: Tres niveles de autoridad cristiana

Éxo. 3.15 - Además dijo Dios a Moisés: Así dirás a los hijos de Israel: Jehová, el Dios de vuestros padres, el Dios de Abraham, Dios de Isaac y Dios de Jacob, me ha enviado a vosotros. Este es mi nombre para siempre; con él se me recordará por todos los siglos.

1. La Tradición Autoritativa: Los apóstoles y los profetas (las Santas Escrituras)

Ef. 2.19-21 - *Así que ya no sois extranjeros ni advenedizos, sino conciudadanos de los santos, y miembros de la familia de Dios, edificados sobre el fundamento de los apóstoles y profetas, siendo la principal piedra del ángulo Jesucristo mismo, en quien todo el edificio, bien coordinado, va creciendo para ser un templo santo en el Señor.*

~ El Apóstol Pablo

Jehová: Se relaciona con el verbo "hayah", que significa "ser". Su pronunciaci n suena similar a la forma verbal de Ex. 3.14, donde se traduce como "Yo soy". Jehov es la transcripci n de las consonantes hebreas de YHWH. En inglés, se está usando la forma poética YAHWEH. Algunas traducciones hispanas han adoptado "Yavéh", otras usan SEÑOR. Los jud os remplazan YHWH con Adonai ya que la consideran muy santa para ser emitida.

Tradiciones (continuación)

El testimonio ocular de la revelación y hechos salvadores de Jehová, primero en Israel, y finalmente en Jesucristo el Mesías, une a toda persona, en todo tiempo, y en todo lugar. Es la tradición autoritativa por la que toda tradición posterior es juzgada.

2. La Gran Tradición: Los concilios colectivos y sus credos[2]

2Ver la 7ª página de este apéndice: Apéndice B: "Definiendo la Gran Tradición"

Lo que ha sido creído en todo lugar, siempre y por todos.

~ Vicente de Lérins

3Aun los Protestantes más radicales de la reforma (los anabaptistas) quienes fueron los más renuentes en abrazar los credos como instrumentos dogmáticos de fe, no estuvieron en desacuerdo con el contenido esencial que se hallaban en los mismos. "Ellos asumieron el Credo Apostólico–lo llamaban ' La Fe,' **Der Glaube***, tal como lo hizo la mayoría de gente". Lea John Howard Yoder,* **Preface to Theology: Christology and Theological Method.** *Grand Rapids: Brazos Press, 2002. Pág. 222-223.*

"La Gran Tradición" es la doctrina central (el dogma) de la Iglesia. Representa la enseñanza de la Iglesia, tal como la ha entendido la Tradición Autoritativa (las Santas Escrituras), y resume aquellas verdades esenciales que los cristianos de todos los siglos han confesado y creído. La Iglesia (Católica, Ortodoxa, y Protestante)[3] se une a estas proclamaciones doctrinales. La adoración y teología de la Iglesia reflejan este dogma central, el cual encuentra su conclusión y cumplimiento en la persona y obra del Señor Jesucristo. Desde los primeros siglos, los cristianos hemos expresado esta devoción a Dios en el calendario de la Iglesia; un patrón anual de adoración que resume y da un nuevo reconocimiento a los eventos en la vida de Cristo.

3. En tradiciones eclesiásticas específicas: Los fundadores de denominaciones y órdenes religiosas

La Iglesia Presbiteriana (U.S.A.) tiene aproximadamente 2.5 millones de miembros, 11.200 congregaciones y 21.000 ministros ordenados. Los presbiterianos trazan su historia desde el siglo XVI y la Reforma Protestante. Nuestra herencia, y mucho de lo que creemos, se inició con el Abogado francés Juan Calvino (1509-1564), quien cristalizó en sus escritos mucho del pensamiento reformado que se había iniciado antes de él.

~ La Iglesia Presbiteriana, U.S.A.

Los cristianos han expresado su fe en Jesucristo a través de movimientos y tradiciones que elijen y expresan la Tradición Autoritativa y la Gran Tradición de manera única. Por ejemplo, los movimientos católicos hicieron surgir personajes como Benedicto,

Tradiciones (continuación)

Francisco, o Dominico; y los protestantes hicieron surgir personajes como Martín Lutero, Juan Calvino, Ulrich Zwingli, y Juan Wesley. Algunas mujeres fundaron movimientos vitales de la fe cristiana (por ejemplo, Aimee Semple McPherson de la Iglesia Cuadrangular); también algunas minorías (por ejemplo, Richard Allen de la Iglesia Metodista Episcopal; o Carlos H. Masón de la Iglesia de Dios en Cristo, quien ayudó al crecimiento de las Asambleas de Dios); todos ellos intentaron expresar la Tradición Autoritativa y la Gran Tradición de manera consistente, de acuerdo a su tiempo y expresión.

La aparición de movimientos vitales y dinámicos de fe, en diferentes épocas, entre diferentes personas, revela la nueva obra del Espíritu Santo a través de la historia. Por esta razón, dentro del catolicismo se han levantado nuevas comunidades como los benedictinos, franciscanos, y dominicanos; y fuera del catolicismo, han nacido denominaciones nuevas (luteranos, presbiterianos, metodistas, Iglesia de Dios en Cristo, etc.). Cada una de estas tradiciones específicas tiene "fundadores", líderes claves, de quienes su energía y visión ayudan a establecer expresiones y prácticas de la fe cristiana. Por supuesto, para ser legítimos, estos movimientos tienen que agregarse fielmente a la Tradición Autoritativa y a la Gran Tradición, y expresar su significado. Los miembros de estas tradiciones específicas, abrazan sus propias prácticas y patrones de espiritualidad; pero estas características, no necesariamente dirigen a la Iglesia en su totalidad. Ellas representan las expresiones singulares del entendimiento y la fidelidad de esa comunidad a las Grandes y Autoritativas Tradiciones.

Ciertas tradiciones buscan expresar y vivir fielmente la Gran y Autoritativa Tradición a través de su adoración, enseñanza, y servicio. Buscan comunicar el evangelio claramente, en nuevas culturas y sub-culturas, hablando y modelando la esperanza de Cristo en medio de situaciones nacidas de sus propias preguntas, a la luz de sus propias circunstancias. Estos movimientos, por lo tanto, buscan contextualizar la Tradición Autoritativa, de manera que conduzcan en forma fiel y efectiva a nuevos grupos de personas a la fe en Jesucristo; de esta manera, incorporan a los creyentes a la comunidad de la fe, la cual obedece sus enseñanzas y da testimonio de Dios a otros.

Tradiciones (continuación)

Apéndice B

Definiendo la "Gran Tradición"

La Gran Tradición (algunas veces llamada "Tradición Clásica Cristiana") es definida por Robert E. Webber de la siguiente manera:

[Es] el bosquejo amplio de las creencias y prácticas cristianas desarrolladas a través de las Escrituras, entre el tiempo de Cristo y mediados del siglo quinto.

~ Webber. **The Majestic Tapestry**.
Nashville: Thomas Nelson Publishers, 1986. Pág. 10.

Esta tradición es afirmada ampliamente por teólogos protestantes clásicos y modernos.

4Nicea, antigua ciudad de Asia Menor, frente al lago Ascanius, la actual Iznik. Fue sede del primer concilio colectivo (año 325).

5Constantinopla, capital del imperio bizantino (actual Estambul) donde Teodosio I reunió el segundo concilio en mayo, 381, para finalizar y confirmar El Credo Niceno.

6Efeso, en el oeste de Asia Menor, donde se convocó el tercer concilio ecuménico en el año 431.

7Calcedonia, antigua ciudad de Asia Menor (Bitinia) donde en el año 451 se celebró el cuarto concilio.

Por esta razón, los concilios de Nicea,4 Constantinopla,5 el primero de Efeso,6 Calcedonia7 y similares (los cuales se tuvieron para refutar errores), los adoptamos voluntariamente, y los reverenciamos como sagrados, en cuanto a su relación con las doctrinas de fe, porque lo único que contienen es la interpretación pura y genuina de la Escritura, la cual, los padres de la fe, con prudencia espiritual, adoptaron para destrozar a los enemigos de la religión [pura] que se habían levantado en esos tiempos.

~ Juan Calvino. **Institutes**. IV, ix. 8.

. . . la mayoría de los aspectos valiosos de la exégesis bíblica contemporánea, fue descubierta antes que culminara el siglo quinto.

~ Thomas C. Oden. **The Word of Life**.
San Francisco: HarperSanFrancisco, 1989. Pág. xi

Los primeros cuatro Concilios son los más importantes, pues establecieron la fe ortodoxa sobre la trinidad y la encarnación de Cristo.

~ Philip Schaff. **The Creeds of Christendom**. Vol. 1.
Grand Rapids: Baker Book House, 1996. Pág. 44.

Nuestra referencia a los concilios colectivos y los credos, por lo tanto, se enfoca en esos cuatro Concilios, los cuales retienen un amplio acuerdo de la Iglesia Católica, Ortodoxa, y Protestante. Mientras que los Católicos y Ortodoxos comparten un acuerdo común de los primeros siete concilios, los Protestantes usamos las afirmaciones solamente de los primeros cuatro; por esta razón, los concilios adoptados por toda la Iglesia fueron completados con el Concilio de Calcedonia en el año 451 D.C.

Tradiciones (continuación)

Vale notar que cada uno de estos concilios ecuménicos, se llevaron a cabo en un contexto cultural pre-europeo y ni uno se llevó a cabo en Europa. Fueron concilios de la Iglesia en su totalidad, y reflejan una época en la que el cristianismo era practicado mayormente y geográficamente por los del Este. Catalogados en esta era moderna, los participantes eran africanos, asiáticos y europeos. Estos concilios reflejaron una iglesia que " . . . tenía raíces culturales muy distintas de las europeas y precedieron al desarrollo de la identidad europea moderna, siendo [de tales raíces] algunos de sus genios más ilustres africanos". (Oden, *The Living God*, San Francisco: Harper San Francisco, 1987, pág. 9).

Quizás el logro más importante de los concilios, fue la creación de lo que es comúnmente conocido como El Credo Niceno. Sirve como una declaración sinóptica de la fe cristiana acordada por católicos, ortodoxos y cristianos protestantes.

Los primeros cuatro concilios ecuménicos, están recapitulados en el siguiente diagrama:

Nombre/Fecha/Localidad	Propósito	
Primer Concilio Ecuménico 325 D.C. *Nicea, Asia Menor*	Defendiendo en contra de:	*El Arrianismo*
	Pregunta contestada:	*¿Jesús era Dios?*
	Acción:	*La forma inicial del Credo Niceno fue desarrollada, y consecuentemente, sirvió cómo resumen de la fe cristiana.*
Segundo Concilio Ecuménico 381 D.C. *Constantinopla, Asia Menor*	Defendiendo en contra de:	*El Macedonianismo*
	Pregunta contestada:	*¿Es el Espíritu Santo una parte personal e igual a la Deidad?*
	Acción:	*El Credo Niceno fue finalizado, al ampliarse el artículo que trata con el Espíritu Santo.*
Tercer Concilio Ecuménico 431 D.C. *Éfeso, Asia Menor*	Defendiendo en contra de:	*El Nestorianismo*
	Pregunta contestada:	*¿Es Jesucristo tanto Dios como hombre en una misma persona?*
	Acción:	*Definió a Cristo como la Palabra de Dios encarnada, y afirmó a su madre María como* **theotokos** *(portadora de Dios).*
Cuarto Concilio Ecuménico 451 D.C. *Calcedonia, Asia Menor*	Defendiendo en contra de:	*El Monofisismo*
	Pregunta contestada:	*¿Cómo puede Jesús ser a la vez, Dios y hombre?*
	Acción:	*Explicó la relación entre las dos naturalezas de Jesús (humano y Divino).*

APÉNDICE 14

Diseñado para representar

Multiplicando discípulos del Reino de Dios

Rev. Dr. Don L. Davis • Lucas 10.16 (LBLA) · El que a vosotros escucha, a mí me escucha, y el que a vosotros rechaza, a mí me rechaza; y el que a mí me rechaza, rechaza al que me envió.

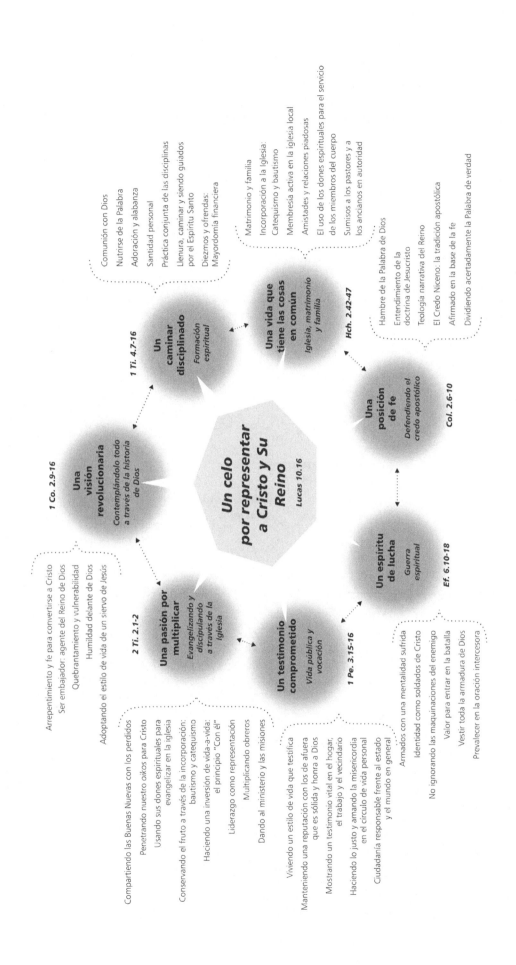

APÉNDICE 15
El factor del *oikos*
Esferas de relación e influencia
Rev. Dr. Don L. Davis

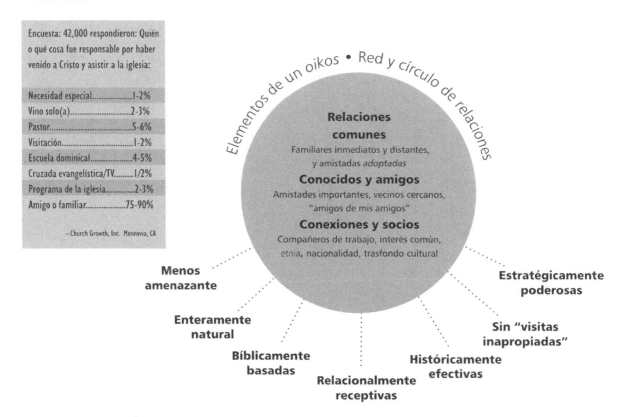

Encuesta: 42,000 respondieron: Quién o qué cosa fue responsable por haber venido a Cristo y asistir a la iglesia:

Necesidad especial..................1-2%
Vino solo(a)...........................2-3%
Pastor..................................5-6%
Visitación...............................1-2%
Escuela dominical..................4-5%
Cruzada evangelística/TV........1/2%
Programa de la iglesia............2-3%
Amigo o familiar..................75-90%

--Church Growth, Inc. Monrovia, CA

Elementos de un oikos • Red y círculo de relaciones

Relaciones comunes
Familiares inmediatos y distantes, y amistades *adoptadas*
Conocidos y amigos
Amistades importantes, vecinos cercanos, "amigos de mis amigos"
Conexiones y socios
Compañeros de trabajo, interés común, etnia, nacionalidad, trasfondo cultural

Menos amenazante
Enteramente natural
Bíblicamente basadas
Relacionalmente receptivas
Históricamente efectivas
Sin "visitas inapropiadas"
Estratégicamente poderosas

Oikos (hogar) en el AT
"Un hogar usualmente tenía cuatro generaciones, incluyendo hombres, mujeres casadas, hijas solteras, esclavos de ambos sexos, personas sin ciudadanía y "peregrinos" (obreros extranjeros con residencia)". – *Hans Walter Wolff, Anthology of the Old Testament.*

Oikos (hogar) en el NT
La evangelización y discipulado en las narrativas del NT a menudo rastreaba las redes relacionales de una multiplicidad de gente dentro de un *oikoi* (hogar), es decir, las líneas naturales de conexión donde residían y vivían (veáse Marcos 5.19; Lucas 19.9; Juan 4.53; 1.41-45, etc.). De Andrés a Simón (Juan 1.41-45), el hogar de Cornelio (Hechos 10-11), y el carcelero de Filipos (Hechos 16) son casos notables de evangelización y discipulado a través de los *oikoi* (plural de oikos).

Oikos (hogar) entre pobres urbanos
Mientras que existen grandes diferencias entre las culturas, las relaciones sanguíneas, grupos de especial interés, y estructuras familiares en la población urbana, es claro que los residentes de los barrios urbanos se conectan más con otros por medio de relaciones, amistades y familia que por la proximidad geográfica y vecindad donde viven. A menudo las amistades más cercanas de los residentes urbanos no son los cercanos en términos de vecindad, sino familias y amistades que viven a algunos kilómetros de distancia. Tomar tiempo para estudiar las conexiones precisas de tales relaciones en un área dada, puede probar ser extremadamente valioso en determinar las estrategias más efectivas para la evangelización y discipulado en el corazón de la ciudad.

APÉNDICE 16
Escala de receptividad

La Escala de Reajuste Social de Holmes-Rahe indica diferentes eventos, en un orden aproximado de importancia, que tiene el efecto de producir períodos de transición personal o familiar. Los números que están a la derecha indican la importancia del evento con relación a otros eventos de transición-producción. Varios elementos pueden darse cuando un individuo experimenta más de un incidente en un período de tiempo relativamente corto. Cuanto más alto es el número, más receptiva es la persona al evangelio. Por ejemplo, alguien que se acaba de casar y que a la vez está teniendo problemas con su jefe, será más receptivo que si estos eventos hubieran ocurrido por separado. Además, cuanto más grande es el número o la acumulación de estos hechos, más largo e intenso es el período de transición.

~ *Win Arn and Charles Arn.* **The Master's Plan for Making Disciples.** *2nd ed. Grand Rapids: Baker Books, 1998. pp. 88-89*

Escala de reajuste social de Holmes-Rahe

Muerte del cónyuge	100
Divorcio	73
Separación marital	65
Tiempo en prisión	63
Muerte de un familiar cercano	63
Daño personal o enfermedad	53
Matrimonio	50
Pérdida del empleo	47
Reconciliación marital	45
Jubilación	45
Cambio de salud de un familiar	44
Embarazo	40
Dificultades sexuales	39
Se agranda la familia	39
Reajuste en los negocios	39
Cambio de estatus financiero	38
Muerte de un amigo cercano	37
Cambio del número de discusiones maritales	35
Hipoteca o préstamo de más de $75,000	31
Privación de hipoteca o préstamo	30
Cambio de responsabilidades laborales	29
Hijo o hija saliendo del hogar	29
Problemas con familiares	29
Logro personal superlativo	28
Cónyuge comienza a trabajar	26
Comienzo o término de la escuela	26
Cambio de condiciones de vida	25
Revisión de hábitos personales	24
Problemas con el jefe	23
Cambio de horario o condiciones laborales	20
Cambio de residencia	20
Cambio de escuelas	20
Cambio de hábitos recreativos	19
Cambio de actividades sociales	18
Hipoteca o préstamo debajo de $75,000	18
Época de Semana Santa	17
Cambio de hábitos para dormir	16
Cambio en número de reuniones familiares	15
Vacaciones	13
Época navideña	12
Violación menor a la ley	11

APÉNDICE 17
Relación entre el costo y la eficacia en el intento de hacer discípulos
Tomado de Win Arn and Charles Arn, **The Master's Plan for Making Disciples**. *2nd ed. Grand Rapids: Baker Books, 1998. pp. 166*

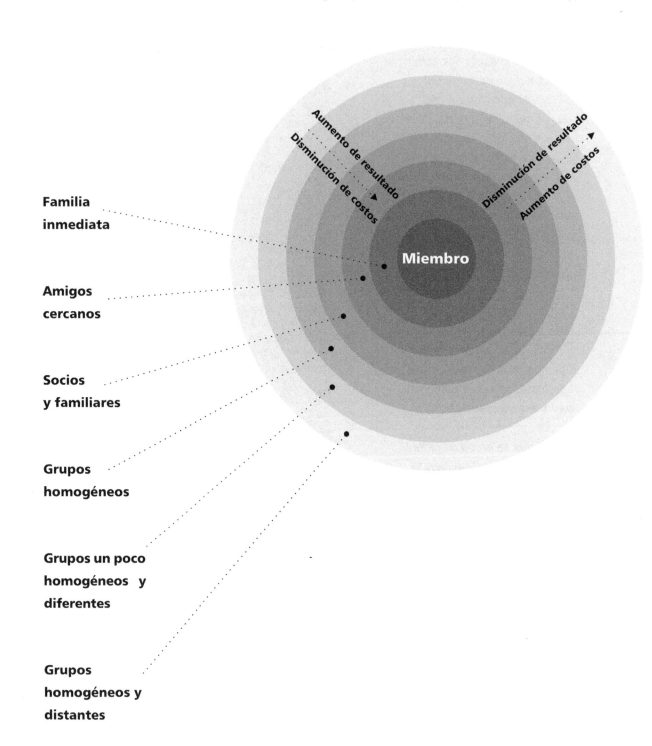

A P É N D I C E   1 8

Documentando su tarea

Una regla para ayudarle a dar crédito a quien merece crédito

Instituto Ministerial Urbano

Cómo evitar el plagio intelectual

El *plagio intelectual,* significa usar las ideas de otra persona como si fueran suyas sin darles el crédito debido. En cualquier tarea académica, *plagiar* o usar las ideas de otro sin darle crédito, es igual que robarle su patrimonio. Estas ideas pueden venir del autor de un libro, de un artículo que usted lea, o de un compañero de clase. El *plagio* se evita archivando e incluyendo cuidadosamente sus "notas prestadas" (notas del texto, notas al pie de la hoja del texto, notas al final de un documento, etc.), y citando las "Obras" donde aparecen las "notas prestadas", para ayudar a la persona que lee su tarea, a conocer cuando una idea es de su propia innovación o cuando la idea es prestada de otra persona.

Cómo usar referencias de las citas

Se requiere que agregue una cita, cada vez que use la información o texto de la obra de otra persona.

Todas las referencias de citas, tradicionalmente se han hecho de dos formas:

- Notas en el texto del proyecto o tarea estudiantil, agregadas después de cada cita que venga de una fuente exterior.

- La página de las "Obras citadas", está en la última hoja de la tarea. Ésta da información de la fuente citada en el proyecto o tarea.

Cómo anotar las citas en sus tareas

Hay tres formas básicas de notas: *Nota parentética, Nota al pie de la página,* y *Nota al final del proyecto.* En el INSTITUTO MINISTERIAL URBANO, recomendamos que los estudiantes usen notas parentéticas porque son las más fáciles de usar. Estas notas proveen: 1) el apellido del[os] autor[es]; 2) la fecha cuando el libro fue publicado; y 3) la[s] página[s] donde se encuentra la información. El siguiente es un ejemplo:

Aprender como usar referencias de las citas, es altamente importante ya que este conocimiento lo tendrá que usar con cualquier otro curso, secular o teológico. De ser así, su tarea siempre será considerada con más credibilidad y confianza.

Al tratar de entender el significado de Génesis 14.1-24, es importante reconocer que en las historias bíblicas "el lugar donde se introduce el diálogo por primera vez es un momento importante donde se revela el carácter del discursante . . ." (Kaiser y Silva 1994, 73). Esto ciertamente es evidencia del carácter de Melquisedec, quien confiesa palabras de bendición. Esta identificación de Melquisedec como una influencia positiva, es reforzada por el hecho que él es el Rey de Salén, ya que Salén significa "seguro, en paz" (Wiseman 1996, 1045).

Documentando su tarea (continuación)

Si el estudiante no adopta nuestra recomendación, tal como lo explicamos anteriormente, entonces todas las citas pueden ser incluidas *al final de cada página*, o en *la última página del proyecto* con una página de "Obras citadas". Ambas opciones deben ser así:

- Dar una lista de cada fuente que haya sido citada en esa página o en el proyecto

- En orden alfabético de apellido del autor

- Y añadir la fecha de publicación e información del editor

La siguiente es una explicación más completa de las reglas sobre citas:

1. **Título**

El título "Obras Citadas", debe ser usado y estar centrado en la primera línea de la página de citas (el único espacio es el margen de la hoja, no inserte ningún espacio antes del título).

2. **Contenido**

Cada referencia debe incluir:

- El nombre completo (primero el apellido, una coma, luego el nombre y punto)

- La fecha de publicación (año y un punto)

- El título (tomado de la tapa del libro), y cualquier información especial como impresión editada (Ed.), segunda edición (2ª Ed.), reimpresión (Reimp.), etc.

- La ciudad donde se localiza la casa editora; dos puntos, y el nombre de la editora.

3. **Forma básica**

- Cada pieza de información debe estar separada por un punto.

- La segunda línea de la referencia (y las siguientes líneas), debe estar tabulada una vez (una sangría).

- El título del libro debe estar subrayado (o en *cursiva*).

- Los títulos de artículos deben escribirse entre comillas (" ").

Por ejemplo:

Fee, Gordon D. 1991. *Gospel and Spirit: Issues in New Testament Hermeneutics.* Peabody, MA: Hendrickson Publishers.

Cómo crear una página de "Obras citadas" al final de su tarea

Documentando su tarea (continuación)

4. Formas especiales

Un libro con autores múltiples:

> Kaiser, Walter C., y Moisés Silva. 1994. *Una Introducción a la Hermenéutica Bíblica: En Búsqueda del Significado.* Grand Rapids: Zondervan Publishing House.

Un libro editado

> Greenway, Roger S., ed. 1992. *Discipulando la Ciudad: Una Propuesta Comprensiva para Misiones Urbanas.* 2ª Ed. Grand Rapids: Baker Book House.

Un libro que es parte de una serie:

> Morris, León. 1971. *El Evangelio Según Juan.* Grand Rapids: Wm. B. Eerdmans Publishing Co. Comentario Internacional del Nuevo Testamento. Gen. Ed. F. F. Bruce.

Un artículo en un libro de referencia:

> Wiseman, D. J. "Salén". 1982. *Diccionario Nuevo de la Biblia.* Leicester, Inglaterra - Downers Grove, IL: InterVarsity Press. Eds. I. H. Marshall y otros.

(En las próximas páginas hay más ejemplos. Vea también el ejemplo llamado "Obras citadas").

Para más investigación

Las normas para documentar obras académicas en las áreas de filosofía, religión, teología, y ética incluyen:

> Atchert, Walter S., y Joseph Gibaldi. 1985. *El Manual del Estilo de MLA.* New York: Modern Language Association.

> *El Manual de Estilo de Chicago.* 1993. 14ª Ed. Chicago: The University of Chicago Press.

> Turabian, Kate L. 1987. *Un Manual para Escritores de Tareas Universitarias, Tesis y Disertaciones.* 5ª edición. Bonnie Bertwistle Honigsblum, Ed. Chicago: The University of Chicago Press.

Documentando su tarea (continuación)

Obras citadas

Fee, Gordon D. 1991. *El Evangelio y El Espíritu: Asuntos de Hermenéutica Neo Testamentaria.* Peabody, MA: Hendrickson Publishers.

Greenway, Roger S., Ed. 1992. *Discipulando la Ciudad: Una Propuesta Comprensiva para Misiones Urbanas.* 2ª Ed. Grand Rapids: Baker Book House.

Kaiser, Walter C., y Moisés Silva. 1994. *Una Introducción a la Hermenéutica Bíblica: En Búsqueda del Significado.* Grand Rapids: Zondervan Publishing House.

Morris, León. 1971. *El Evangelio Según Juan.* Grand Rapids: Wm. B. Eerdmans Publishing Co. *Comentario Internacional del Nuevo Testamento.* Gen. Ed. F. F. Bruce.

Wiseman, D. J. "Salén". 1982. En *Diccionario Nuevo de la Biblia.* Leicester, Inglaterra-Downers Grove, IL: InterVarsity Press. Eds. I. H. Marshall y otros.

Made in United States
Orlando, FL
02 January 2023

27952929R00091